L'INTÉGRISTE MALGRÉ LUI

Mohsin Hamid est né en 1971 à Lahore, au Pakistan, et a vécu à Londres, à New York et en Californie. Ses deux premiers romans, *Partir en fumée* (prix Betty Trask et finaliste du prix PEN/Hemingway en 2000) et *L'Intégriste malgré lui* (finaliste du Man Booker Prize en 2007 et adapté au cinéma par Mira Nair en 2012), se sont vendus à plus d'un million d'exemplaires dans le monde et ont été traduits dans plus d'une trentaine de langues. De nouveau établi à Lahore depuis quelques années, il contribue régulièrement au *New York Times*, au *Guardian*, au *New Yorker* ou encore à la revue *Granta*. Son troisième roman, *Comment s'en mettre plein les poches en Asie mutante*, lui a valu d'être cité aux États-Unis comme « l'un des auteurs les plus inventifs et doués de sa génération » et fera l'objet d'une adaptation au cinéma par Guillermo Arriaga.

MOHSIN HAMID

L'Intégriste malgré lui

ROMAN TRADUIT DE L'ANGLAIS PAR BERNARD COHEN

GRASSET

Titre original :

THE RELUCTANT FUNDAMENTALIST
Paru chez Harcourt, Inc.

1

Excusez-moi, sir, mais puis-je vous être utile ? Ah, il semble que je vous ai inquiété. Ne soyez pas effrayé par ma barbe : j'aime l'Amérique ! J'ai remarqué que vous aviez l'air d'être à la recherche de quelque chose ou plus encore, même, que vous paraissiez… en mission. Comme je suis né dans cette ville et que je parle votre langue, j'ai pensé que je pourrais vous proposer mes services.

Comment ai-je vu que vous étiez américain ? Non, non, ce n'est pas à cause de la couleur de votre peau. Nous avons les teintes d'épiderme les plus variées, dans ce pays ; la vôtre se rencontre fréquemment parmi les populations de notre frontière nord-occidentale. Ce n'est pas non plus votre tenue qui m'a mis sur la voie, puisqu'un touriste européen aurait pu aisément acheter votre costume – veston à une seule fente, ai-je remarqué – et votre chemise à Des Moines, par exemple. Certes, vos cheveux coupés en brosse et votre large thorax – le coffre de quelqu'un qui fréquente régulièrement la salle de sport et pèse son poids de muscles – indiquent un certain *type* d'Américain, mais n'est-il pas vrai que les sportifs et les soldats de toutes nationalités ont tendance à se ressembler ? Non, c'est d'abord votre *attitude* qui m'a permis de deviner vos origines et… mais, attendez on dirait que vos traits se sont durcis, cette remarque n'avait pourtant rien d'insultant, je vous assure ! Ce n'était qu'une simple observation.

Alors dites-moi, je vous en prie. Que cherchez-vous ? À cette heure de la journée, nul doute que ce qui a conduit vos pas dans le vieux quartier d'Anarkali – lequel, vous ne l'ignorez peut-être pas, porte le nom d'une courtisane emmurée vivante pour avoir aimé un prince – était la quête d'une tasse du meilleur thé qui soit. Est-ce que je me trompe ? Dans ce cas, sir, permettez-moi de vous suggérer mon établissement de prédilection parmi tous. Oui, c'est celui-là : ses chaises en fer ne sont pas capitonnées, ses tables en bois ont la même rugueuse simplicité que les autres et lui non plus n'a pas d'auvent, mais je puis vous assurer que la qualité du thé que l'on y sert demeure inégalée.

Quoi, vous préférez vous asseoir le dos si près du mur ? À votre guise. Mais alors vous profiterez moins de la brise qui, lorsqu'elle se décide à souffler de temps à autre, rend plus agréables ces chauds après-midi. N'ôterez-vous pas votre veston, non plus ? Comme vous êtes convenable ! Ah, voici un trait qui n'est pas typiquement américain, lui. Du moins d'après mon expérience, laquelle n'est pas négligeable puisque j'ai vécu quatre ans et demi dans votre pays. Où, me demandez-vous ? J'ai travaillé à New York après avoir fait mes études dans le New Jersey. Oui, c'est exact ! À Princeton ! Je dois reconnaître que votre perspicacité m'impressionne.

Ce que j'ai pensé de Princeton ? Eh bien, je vais vous raconter une histoire qui répondra sans doute à votre question. À mon arrivée là-bas, j'ai levé les yeux sur les immeubles gothiques – moins anciens que nombre de mosquées de cette ville, ainsi que j'allais l'apprendre plus tard, mais rendus d'aspect plus vénérable par les traitements à l'acide et l'ingéniosité des tailleurs de pierre – et je me suis dit : « Voilà un rêve devenu réalité. » Princeton m'a procuré l'impression de me trouver dans un film dont j'étais la vedette et où tout était possible. « J'ai la chance de fréquenter ce magnifique campus, ai-je pensé, d'approcher des professeurs qui sont les titans de leur spécialité, de côtoyer des étudiants qui seront un jour des princes de la philosophie ! »

Oui, j'avoue que je me suis montré exagérément généreux dans mon appréciation initiale de la population estudiantine. Mes camarades étaient certes presque tous intelligents, parfois brillants, mais alors que j'étais l'un des deux seuls Pakistanais acceptés en première année – seulement deux venus d'un pays qui compte plus de cent millions d'âmes, ne l'oubliez pas – les jeunes Américains, eux, avaient beaucoup plus de chances de triompher du processus de sélection : un millier de vos compatriotes étaient là, soit cinq cents fois plus que nous alors que votre pays n'est que deux fois plus peuplé que le nôtre. Du coup, les non-Américains avaient tendance à travailler plus dur et à mieux réussir que les jeunes nés aux USA. Dans mon cas, par exemple, j'ai terminé mon cursus sans jamais avoir obtenu un seul B.

Avec le recul, je discerne bien la force de ce système universitaire dominé par le pragmatisme et l'efficacité, à l'instar de tant de choses en Amérique. Nous, les « étudiants internationaux », étions choisis à travers le monde entier, passés au tamis de tests rodés depuis longtemps mais aussi de moyens d'évaluation soigneusement personnalisés – entretiens, dissertations, recommandations – jusqu'à ce que la crème d'entre nous ait été identifiée. Pour ma part, j'avais obtenu parmi les meilleurs résultats aux examens au Pakistan ; j'étais également un footballeur assez compétent pour être pris dans l'équipe de l'université avant qu'une lésion au genou survenue en première année m'oblige à renoncer. Les étudiants de mon niveau se voyaient accorder visas, bourses, prise en charge financière complète. Nous étions invités à rejoindre les rangs de la méritocratie ; en échange, on attendait de nous que nous mettions nos capacités au service de votre société, de la communauté que nous avions intégrée. Et pour l'essentiel c'est ce que nous faisions, de bon cœur. Et c'est assurément ce que j'ai fait, au début.

Tous les ans, à l'automne, Princeton soulève sa jupe afin de « montrer un peu de peau » – comme vous dites, vous autres Américains – aux chasseurs de têtes venus inspecter le campus pour le compte des grandes entreprises du pays. Une peau très alléchante, bien sûr : jeune, souple, sensible, en éveil. Et moi-même je me distinguais encore, parmi tous ces appas. J'étais, si vous voulez, un sein parfait, bronzé à souhait, délectable, apparemment affranchi des lois de la gravité. En d'autres termes, j'étais certain d'obtenir tous les postes que je voudrais.

Tous, sauf un : Underwood Samson & Company. Vous n'avez jamais entendu parler d'eux ? C'est un bureau d'expertise qui a pour fonction de dire à ses clients ce que vaut leur entreprise, et qui le fait avec une précision presque surnaturelle. Une société de taille très modeste, une boutique, pourrait-on dire, qui recrute peu mais paie fort bien puisqu'elle proposait alors à un jeune diplômé un salaire de départ dépassant les quatre-vingt mille dollars annuels. Plus important encore, elle donnait au débutant une expérience irremplaçable et le prestige d'un nom fameux. Si fameux, en vérité, qu'un analyste ayant passé deux ou trois ans chez eux était quasiment assuré d'entrer à la Harvard Business School. C'est pour toutes ces raisons que plus d'une centaine d'étudiants de la promotion 2001 de Princeton avaient envoyé leur dossier universitaire et leur curriculum à Underwood Samson. Huit candidats avaient été sélectionnés, non pour un poste, je dois préciser, mais pour un simple entretien exploratoire. Et je figurais parmi eux.

Vous semblez inquiet. N'ayez crainte : ce solide gaillard qui s'approche est tout simplement notre serveur. Inutile de glisser votre main sous votre veste, pour, j'imagine, prendre votre portefeuille, car nous ne le paierons qu'à la fin. Désirez-vous le thé classique d'ici, avec lait et sucre ? Ou du thé vert ? Ou peut-être la spécialité de cet établissement qui est le thé du Cachemire, plus parfumé ? Excellent choix ! Ce sera aussi le mien, avec peut-être une assiette de *jalebis* ? Parfait. Voilà, il est reparti. Je dois reconnaître que sa carrure est plutôt intimidante. Mais on ne trouverait pas plus poli : vous auriez été surpris par la délicatesse de son langage, si seulement vous compreniez l'urdu…

Où en étions-nous ? Ah oui, Underwood Samson ! Le jour de l'entretien, donc, j'ai été étonné par ma propre nervosité. Il n'y avait qu'un seul recruteur présent, qui nous a reçus les uns après les autres dans une chambre de l'Auberge de Nassau. Une simple chambre, notez bien, non une suite : ils savaient qu'ils n'avaient pas besoin de nous impressionner plus que nous ne l'étions déjà. Quand mon tour est venu, je suis entré et je me suis retrouvé devant un homme qui avait assez votre allure, tiens. Celle d'un officier chevronné. « Tchenguiz ? » a-t-il lancé. J'ai fait oui de la tête, puisque c'est en effet mon nom. « Approchez, approchez et asseyez-vous. »

Il m'a annoncé qu'il s'appelait Jim et que j'avais exactement quinze minutes pour le convaincre qu'il devrait me proposer une place. « Vendez-vous ! m'a-t-il ordonné. Qu'est-ce que vous avez de si spécial ? » J'ai commencé par mon dossier universitaire, en soulignant que j'allais certainement obtenir mon diplôme avec les honneurs et que je n'avais jamais récolté un seul B.

« Je ne doute pas que vous soyez intelligent, a-t-il remarqué, mais pas un seul de vos camarades que j'ai vus jusqu'ici n'a eu de B, non plus. »

L'information était troublante, je dois dire. J'ai évoqué mon opiniâtreté, lui citant l'exemple de ma blessure au genou, surmontée en deux fois moins de temps que les médecins sportifs ne l'avaient prévu et qui, même si elle m'avait écarté de l'équipe de foot universitaire, ne m'empêchait pas de courir un mile en moins de six minutes.

« Très bien », a-t-il approuvé, et j'ai eu l'impression que j'avais enfin produit un certain effet sur lui, « mais à part ça ? »

J'en suis resté coi. En temps normal, je suis quelqu'un de plutôt loquace, comme vous avez dû le remarquer, mais là, à cet instant, je ne trouvais rien à dire. Je l'ai regardé me regarder, essayant de deviner ce qu'il attendait de moi. Il a jeté un bref coup d'œil à mon CV, posé sur la table qui nous séparait, puis s'est remis à m'observer. Il avait des yeux d'un bleu pâle et froid, un regard qui ne *jugeait* pas mais *jaugeait*, si je puis m'exprimer ainsi, celui d'un bijoutier en train d'examiner un diamant par simple curiosité, non parce qu'il a l'intention de l'acheter ou de le vendre. Après un moment – pas plus d'une minute, sans doute, mais cela m'a paru beaucoup plus long –, il a rompu le silence :

« Dites-moi, d'où venez-vous ? »

J'ai répondu que j'étais originaire de Lahore, la deuxième ville du Pakistan, l'ancienne capitale du Pendjab, à la population pratiquement égale à celle de New York, et dont les couches sédimentaires d'histoire renvoient aux envahisseurs qu'elle a subis au cours des siècles, depuis les Aryens jusqu'aux Britanniques en passant par les Mongols. Il s'est contenté de hocher la tête, puis :

« Et vous êtes boursier, non ? »

Je n'ai pas répondu immédiatement. Je savais que certains sujets sont tabous, au cours des entretiens d'embauche – les convictions religieuses ou l'orientation sexuelle du candidat, par exemple –, et j'avais le soupçon que celui du soutien financier en faisait partie. Mais ce n'est pas ce qui m'a amené à hésiter. J'avais trouvé la question gênante, pour être franc.

« Oui, ai-je fini par concéder.

— Mais un étudiant étranger a plus de mal à être pris s'il demande une bourse, n'est-ce pas ? a-t-il insisté.

— C'est vrai.

— Donc, c'est que vous aviez vraiment besoin de cet argent, exact ?

— En effet », ai-je approuvé pour la troisième fois.

Jim s'est radossé à sa chaise en posant une jambe sur son genou, tenez, exactement comme vous êtes assis en ce moment. Il a continué :

« Vous présentez bien, vous vous habillez avec goût, et cet accent distingué que vous avez… La plupart des gens penseraient que vous venez d'un milieu aisé, dans votre pays. » Comme cela n'était pas une question, je n'ai rien répondu. « Est-ce que vos amis d'ici savent que votre famille n'avait pas les moyens de vous envoyer à Princeton sans obtenir une bourse ? »

Je vous l'ai dit, c'était l'entretien auquel je tenais le plus, je savais que je devais garder mon calme et cependant cet échange commençait à m'irriter sérieusement. Comme je n'appréciais pas du tout la tournure que prenait cet interrogatoire, j'ai objecté :

« Je vous demande pardon, Jim, mais est-ce que tout cela est vraiment nécessaire ? »

La remarque a sonné plus agressive que je ne l'avais voulu, parce que ma voix s'était tendue et que j'étais monté d'un ton.

« Donc ils ne sont pas au courant », a tranché Jim avant d'ajouter avec un sourire. « Vous avez du tempérament, vous ! J'aime ça. Moi aussi, j'ai fait Princeton. Promotion 81 », il m'a adressé un clin d'œil, « avec mention. J'étais le premier de ma famille à aller à l'université. J'avais un boulot de nuit pour me payer les études. À Trenton. Assez loin du campus pour que personne ne découvre ça. Conclusion : je vois très bien d'où vous venez, Tchenguiz. Vous avez les dents longues et pour moi c'est un atout. »

J'avoue que j'ai été pris de court, au point de ne savoir comment réagir. Mais Jim m'avait incontestablement impressionné, c'est un fait. En quelques minutes, il m'avait calculé mieux que d'autres qui me connaissaient depuis des années. J'ai compris pourquoi c'était un véritable professionnel de l'évaluation et pourquoi, du même coup, sa société avait acquis une telle réputation dans cette branche. Et puis j'étais content qu'il ait repéré un aspect de ma personnalité qui lui plaisait. J'ai commencé à reprendre mon assurance, que le début de la rencontre avait fortement ébranlée.

Ici, j'ose espérer que vous me permettrez une petite digression qui selon moi n'est pas inutile. Je ne suis pas d'origine modeste, loin s'en faut : mon arrière-grand-père, en fait, était un avocat assez prospère pour avoir été le bienfaiteur d'une école de l'Association des musulmans du Pendjab. Comme lui, mon grand-père et mon père ont fait leurs études en Angleterre. Notre maison de famille s'élève sur un terrain d'un demi-hectare au cœur de Gulberg, l'un des quartiers les plus cotés de la ville. Nous avons plusieurs domestiques, dont un chauffeur et un jardinier. En Amérique, tout cela nous rangerait parmi les plus fortunés et pourtant nous ne sommes pas des riches : chez moi, les hommes et les femmes – oui, les femmes aussi ! – travaillent, exercent une profession. Et les cinq décennies qui se sont écoulées depuis la mort de mon arrière-grand-père n'ont guère été favorables à cette classe de Pakistanais, savez-vous ? Les salaires n'ont pas suivi l'inflation, la roupie n'a cessé de se déprécier face au dollar ; ceux qui, comme nous, avaient joui d'un héritage substantiel ont dû le diviser et le subdiviser à chaque génération, toujours plus nombreuse. Mon grand-père ne pouvait se permettre le train de vie qui avait été celui de son père et son fils, à son tour, a vu ses moyens se réduire encore. Et ainsi, quand le moment est venu pour moi d'entrer à l'université, l'argent manquait, tout simplement.

Chez nous comme dans toute société traditionnelle et donc stratifiée, le statut résiste cependant plus longtemps que la richesse et c'est pourquoi nous sommes toujours membres du Pendjab Club, nous continuons à être invités aux soirées et aux mariages de l'élite de la ville et nous considérons avec un mélange de dédain et d'envie la classe ascendante des affairistes qui se sont enrichis légalement ou non et sillonnent nos rues en trônant dans leurs monospaces BMW. Notre situation n'est, après tout, guère différente de celle de l'aristocratie européenne confrontée à la montée de la bourgeoisie au XIXe siècle. Cependant, nous sommes aussi touchés par un malaise plus général qui affecte non seulement les familles jadis fortunées mais aussi la majeure partie des anciennes classes moyennes, et qui pourrait se résumer ainsi : l'impossibilité grandissante de nous acheter ce que nous pouvions nous permettre, dans le temps.

Devant cette réalité, on n'a que deux choix : soit faire comme si tout allait bien, soit travailler dur pour remettre les choses à niveau. Moi, j'ai pris les deux options à la fois. À Princeton, je me comportais en public tel un jeune prince plein de générosité et d'insouciance, tout en assurant aussi discrètement que possible trois emplois rémunérés, sur le campus mais à des places relativement peu fréquentées comme la bibliothèque du Département d'études moyen-orientales, et en potassant mes livres de cours la nuit. La plupart des gens que je connaissais se laissaient convaincre par mon personnage public. Jim, lui, m'avait percé à jour mais par chance il voyait comme un atout ce qui me faisait honte. Et il ne s'était pas trompé, du moins sur certains aspects que j'allais découvrir par la suite.

Mais voilà notre thé ! Je vous en prie, ne prenez pas cet air soupçonneux ! Vous avez ma garantie qu'il ne vous arrivera rien de fâcheux, pas même un accès de turista. Voyons, vous ne pensez tout de même pas que ce breuvage est empoisonné ? Tenez, permettez-moi d'échanger ma tasse avec la vôtre, si cela peut vous rassurer. Là ! Combien de sucre désirez-vous ? Pas de sucre du tout ? C'est fort inhabituel, mais je n'insisterai pas. Essayez cependant ces pâtisseries de couleur orange, gorgées de sirop, que nous appelons *jalebis*. Prenez garde, car elles sont brûlantes. Ah, je vois que vous appréciez. C'est un délice, en effet. N'est-il pas étonnant qu'une tasse de thé puisse être aussi rafraîchissante par une chaude journée comme celle-ci ? Un mystère, vraiment, et pourtant vous le ressentez aussi, n'est-ce pas ?

Je vous disais donc que, pendant cet entretien pour Underwood Samson, Jim a fait la remarque que j'avais « les dents longues ». J'ai attendu ce qu'il allait ajouter à ce constat, et cela n'a pas tardé :

« Très bien, Tchenguiz. On va vous tester un peu, alors : je vais vous donner une entreprise à estimer, comme nous le faisons chaque jour au bureau. Vous pouvez me demander tous les renseignements que vous voulez. Vous avez le droit à vingt questions. Et vous pouvez vous servir de ce papier et de ce crayon pour vos calculs. Prêt ? – J'ai dit oui. – Bon, je vous sers une balle facile, pour commencer. Mais il faut que vous fassiez marcher vos méninges. C'est une entreprise unifonction, qui n'offre qu'un seul service, les voyages instantanés. Vous entrez dans leur terminal à New York et hop, aussitôt après vous réapparaissez dans leurs locaux de Londres. Comme un transporteur dans *Star Trek*. Pigé ? On y va ! »

J'aimerais croire que j'ai alors donné une apparence de calme mais en mon for intérieur c'est un vent de panique qui s'était mis à souffler. Comment est-on censé estimer le prix d'une société qui n'existe pas ? Par où commencer ? Aucune idée ! J'ai lancé un coup d'œil à Jim, qui paraissait très sérieux. J'ai pris ma respiration et j'ai fermé les yeux. Quand je jouais au football, j'arrivais à atteindre un état psychologique dans lequel mon surmoi s'abolissait et je me sentais libre, libre de doutes et d'hésitations, libre de me concentrer sur le jeu et sur rien d'autre. Je me sentais des ailes, à ces moments. Les mystiques soufis et les maîtres du zen connaissent sans doute ce que je décris là, et peut-être les guerriers de jadis se préparaient-ils de la même manière à aller au combat, dans une acceptation ritualisée de leur mort imminente qui leur permettait de s'abstraire de la peur.

Eh bien, c'est ainsi que je me suis conditionné, ce jour-là, jusqu'à ce que mon être tout entier se consacre à débrouiller le problème. J'ai commencé par poser des questions visant à cerner la technologie employée, son degré de fiabilité et de sûreté, les ressources mises en œuvre, puis j'ai demandé des précisions sur le contexte économique : avaient-ils des concurrents ? Que disait la réglementation en vigueur ? La société dépendait-elle de fournisseurs particulièrement incontournables ? Ensuite, j'ai procédé à une évaluation des coûts d'exploitation, puis des revenus en prenant l'exemple du Concorde, une bonne base de comparaison en matière de prix et de demande du marché dans le cas d'un moyen de transport qui réduit de moitié le temps du trajet, et enfin j'ai effectué une projection de ces résultats si on parvenait à ramener la durée du voyage à zéro. Pour finir, j'ai estimé les profits à un point dans l'avenir et je les ai établis selon leur valeur actuelle nette. J'avais une somme.

« Deux virgule trois milliards de dollars », ai-je annoncé.

Jim est resté silencieux un moment. Il a secoué la tête.

« Beaucoup trop optimiste ! Vous avez supposé que les consommateurs accepteraient ce produit dans une proportion exagérée. Vous-même, ça vous dirait d'entrer dans une machine qui vous désintègre et vous fait ressortir entier de là des milliers de kilomètres plus loin ? C'est exactement le genre de conneries innovatrices pour lesquelles nos clients nous paient afin que nous prouvions qu'elles ne peuvent pas être rentables. » J'ai baissé les yeux, penaud. « À part ça, votre démarche était excellente. Vous avez l'esprit qu'il faut. Ce dont vous avez besoin, maintenant, c'est de formation et d'expérience. » Il m'a tendu la main. « Ceci est une proposition ferme. Vous avez une semaine pour vous décider. »

Je n'y ai pas cru, d'abord. Je lui ai demandé s'il plaisantait, ou si je n'allais pas devoir passer une deuxième sélection.

« Nous sommes une petite société, m'a répondu Jim, et donc nous n'aimons pas perdre de temps. Par ailleurs, c'est moi qui suis responsable du recrutement des analystes ; je n'ai pas besoin d'une autre opinion. »

Je me suis rendu compte que sa main était toujours tendue vers moi et je me suis hâté de la lui serrer, craignant qu'il ne la retire. Il avait une poigne solide qui semblait vouloir me faire comprendre qu'Underwood Samson avait désormais le pouvoir de transformer ma vie aussi nettement qu'ils avaient changé la sienne, et que mes inquiétudes à propos de mon avenir financier et social appartenaient au passé.

Je me rappelle être revenu à pied à mon bâtiment de la cité universitaire, Edwards Hall, après avoir quitté Jim cet après-midi-là. Le ciel était d'un bleu éclatant, sans rapport avec celui qui nous surplombe aujourd'hui, orange et gris de poussière en suspension. J'ai senti une puissante émotion monter en moi, une sensation de fierté et de triomphe qui m'a fait lever le visage vers le firmament et hurler de tous mes poumons, avec une impétuosité qui m'a autant surpris qu'elle a dû stupéfier les autres étudiants sur le trottoir : « Merci, mon Dieu ! »

Oui, c'était extraordinaire. Et c'est ainsi que je revois mon expérience à Princeton, en vous priant d'excuser la réponse interminable que je viens de vous faire. Princeton m'a ouvert toutes les portes, m'a tout rendu possible, tout sauf oublier comme j'aime le thé ici, dans ma ville natale, ce thé infusé assez longtemps pour atteindre cette profonde nuance que vous observez, ce thé rendu crémeux par un lait frais et non écrémé. Je ne *pouvais pas* oublier cela. Excellent thé, n'est-ce pas ? Ah, vous avez fini votre tasse ! Permettez-moi de vous en verser une autre.

2

Remarquez-vous ces filles qui passent là-bas, en jeans constellés de taches de peinture ? Oh oui, elles sont *très* séduisantes ! Et comme elles diffèrent des femmes de cette famille installée à la table proche de la nôtre, qui portent la tenue traditionnelle ! L'école des Beaux-Arts n'est pas loin d'ici… Juste au coin de la rue, en fait. Les élèves viennent souvent prendre une tasse de thé, tout comme nous maintenant. Je vois que l'une d'elles a particulièrement retenu votre attention. Une vraie beauté, sans aucun doute. Dites-moi donc, sir : y a-t-il quelqu'un dans votre pays qui gouverne votre cœur ? Quelqu'un : masculin ou féminin, bien sûr, car je ne me targue pas de connaître vos préférences, et cependant l'intensité de votre regard me laisse penser qu'il s'agit d'une femme.

Bien énigmatique, ce haussement d'épaules ! Je serai moins discret, pour ma part : j'ai laissé une personne aimée derrière moi, oui. Elle s'appelait Erica. Nous nous sommes connus pendant l'été qui a suivi nos examens finaux, au sein d'un groupe de princetoniens qui avaient décidé de passer des vacances en Grèce tous ensemble. Comme les autres, elle appartenait à l'Ivy Club, le plus prestigieux des clubs-restaurants du campus ; ils s'étaient payé le voyage avec les dons de leurs parents ou les intérêts générés par leurs fonds de placement qu'ils étaient désormais en âge de toucher. Moi qui avais préparé mes repas dans la cuisine au sous-sol de mon dortoir, j'étais du voyage grâce à la prime d'embauche qu'Underwood Samson m'avait versée. Depuis mon passage dans l'équipe de football, j'étais resté en termes amicaux avec l'un des membres de l'Ivy, un dénommé Chuck. Celui-ci m'avait fait connaître ses camarades, qui pour certains appréciaient l'exotisme de ma compagnie.

Arrivés par différents vols, nous nous sommes retrouvés à Athènes et c'est là que j'ai vu Erica pour la première fois. Je n'ai pu m'empêcher de lui proposer de porter son sac à dos, tant elle m'a paru fantastiquement… royale. Ses cheveux empilés sur sa tête faisaient penser à une tiare et son nombril – Ah, ce ventre rendu si ferme par des années de taekwondo, ainsi que je l'apprendrais plus tard ! – s'exposait sous son court tee-shirt décoré à l'effigie du président Mao. On nous a présentés l'un à l'autre ; elle a souri en me serrant la main – je ne sais si c'était parce qu'elle me trouvait exquisement raffiné ou étonnamment vieux jeu – et nous nous sommes mis en route vers le port du Pirée avec le reste du groupe.

Il a tout de suite été clair que je n'allais pas avoir le terrain libre en courtisant Erica. À peine notre ferry avait-il levé l'ancre en direction des îles qu'un garçon installé de l'autre côté du pont, une dent d'animal suspendue à un cordon de cuir sur son thorax nu mais peu musclé, a commencé à grattouiller sa guitare et à lui donner la sérénade.

« En quelle langue il chante ? » m'a-t-elle demandé en se penchant si près de moi que son souffle a agréablement chatouillé mon oreille.

« En anglais, je crois, ai-je répondu après mûre réflexion. C'est même *Summer of '69*, de Bryan Adams. »

Elle a éclaté de rire puis, baissant la voix par politesse :

« Tu as raison ! Ah, il est vraiment mauvais ! »

J'étais enclin à approuver mais, voyant que le troubadour ne constituait plus un danger, j'ai opté pour un silence magnanime.

Une compétition autrement plus sérieuse s'est présentée le lendemain en la personne d'un grand ami de Chuck qui répondait à un surnom également monosyllabique : Mike. Alors que nous étions dans un restaurant surplombant le bord de ce volcan brisé qu'est l'île de Santorin, il a négligemment posé son bras sur le dossier de la chaise d'Erica et l'a gardé dans cette position, sûrement peu confortable, pendant pas loin d'une heure. Si la belle n'a pas exprimé le souhait qu'il s'écarte, j'ai eu la consolation de constater l'attention avec laquelle elle a écouté chacune de mes interventions au cours du dîner, et le sourire qui lui venait de temps à autre tandis qu'elle fixait ses yeux verts sur moi. Quand nous sommes rentrés à pied à notre auberge, cependant, elle s'est attardée avec Mike en arrière de notre cortège. J'ai eu du mal à trouver le sommeil, cette nuit-là.

Au matin, quel soulagement de voir qu'elle descendait au petit déjeuner non *avec* mais *avant* Mike, et quel plaisir de découvrir que nous étions les seuls de notre groupe déjà levés ! Elle a tartiné un croissant de confiture, m'en a tendu la moitié et m'a interrogé :

« Tu sais ce que j'aimerais faire ? — Non, quoi ? me suis-je enquis. — J'aimerais rester ici, après. Prendre une chambre quelque part sur l'une de ces îles et passer mon temps à écrire. » Je lui ai dit que c'est en effet ce qu'elle devrait faire, mais elle a secoué tristement la tête. « Je ne tiendrais pas le coup une semaine. Je n'arrive pas à rester seule. Mais toi, par contre », elle a croisé les bras en m'observant d'un air penché, « toi, je crois que ça t'irait très bien. »

Comme je n'avais jamais redouté la solitude, ou du moins n'en avais jamais eu conscience, j'ai approuvé d'un haussement d'épaules et proposé en guise d'explication :

« Dans mon enfance, nous étions tout le temps huit gosses ensemble. Huit cousins. Dans la même propriété, parce que le terrain que mon grand-père avait laissé à ses fils était délimité par un seul mur d'enceinte. À nous huit, nous avions trois chiens et aussi un canard, à un moment. »

Elle a ri, médité un court instant.

« Donc la solitude est un luxe, c'est ce que tu veux dire ? » J'ai acquiescé de la tête. « Tu donnes l'impression très nette de... d'être enraciné. Tu t'en rends compte ? Tu envoies un message qui dit : "Je viens d'une famille nombreuse, oui !" C'est sympa. Ça te donne une, comment dire, solidité. »

Comme je me sentais flatté, même si je n'étais pas entièrement sûr d'avoir compris, je l'ai remerciée faute de trouver meilleure réponse et j'ai risqué à mon tour une question, prudemment car je ne voulais pas paraître indiscret :

« Et toi, tu te juges solide ? »

Elle a réfléchi un peu avant de répondre avec dans la voix ce que j'ai pris pour une trace de tristesse :

« Parfois. Mais en réalité non, pas vraiment. »

Avant que je puisse réagir, Chuck puis Mike nous ont rejoints et la conversation a dévié sur les meilleures plages de l'île, les affres de la gueule de bois et les horaires de ferrys. Chaque fois que mon regard croisait celui d'Erica, pourtant, j'avais l'impression que nous comprenions tous deux qu'un échange s'était produit entre nous, la promesse d'une véritable amitié, peut-être ? M'armant de patience, j'ai donc attendu l'occasion de reprendre notre discussion.

Laquelle ne s'est pas présentée avant plusieurs jours, d'ailleurs, et si vous pouvez imaginer mon impatience vous devez aussi vous rappeler que je n'avais encore jamais eu l'expérience de pareilles vacances. Nous avons loué des scooters, acheté des tapis de paille que nous étendions sur le sable volcanique, noir, tellement surchauffé par le soleil qu'il était impossible de s'étendre directement dessus, passé les nuits chez l'habitant, dans de charmantes masures où des couples âgés louaient des chambres aux touristes, mangé de la pieuvre grillée, bu du vin rouge coupé d'eau gazeuse. C'était la première fois que je passais un moment en Europe et même que je me baignais dans la mer, Lahore se trouvant comme vous le savez à une heure et demie de la côte en avion. Je me suis abandonné volontiers au plaisir de vagabonder en compagnie de ces jeunes d'autant plus insouciants qu'ils avaient la poche bien garnie.

Je dois certes reconnaître que certains petits détails me gênaient, par exemple la facilité avec laquelle ils dépensaient l'argent, un repas au restaurant à cinquante dollars par tête constituant pour eux une distraction aucunement exceptionnelle, ou l'arrogance avec laquelle ils traitaient ceux qu'ils avaient payés pour quelque service : « Mais vous nous aviez dit que… », protestaient-ils afin de persuader des Grecs deux fois plus âgés qu'eux d'agir comme ils l'entendaient. Avec mon budget limité qui fondait rapidement et ma déférence acquise envers les aînés, j'en arrivais parfois à me demander par quel étrange caprice de l'évolution humaine mes compagnons, que dans mon propre pays j'aurais catalogués parvenus tant leurs manières étaient frustes, se croyaient autorisés à se comporter en tous lieux comme s'ils étaient les maîtres du monde.

Mais peut-être suis-je enclin à exagérer avec le recul l'irritation qu'ils pouvaient provoquer en moi, influencé maintenant par le cours qu'ont pris mes relations avec votre pays ? Quoi qu'il en soit, le reste du groupe n'était qu'une toile de fond pour moi, car au premier plan brillait Erica et sa contemplation me procurait la plus intense satisfaction. Elle m'avait confié qu'elle détestait la solitude et j'ai vite remarqué qu'elle n'était que rarement seule parce qu'elle attirait les gens à elle par sa seule présence, par un magnétisme peu courant. En étudiant les effets qu'elle produisait sur son environnement, un naturaliste aurait été enclin à la comparer à une lionne : puissante, racée, dégageant sans cesse une aura de fierté.

En même temps, on sentait que son existence intérieure restait hors de portée de ceux qui l'entouraient.

Elle n'était pas distante, non, se montrant au contraire aisément amicale, mais on percevait qu'une partie d'elle demeurait inaccessible, absorbée dans des pensées jamais exprimées, et c'était peut-être un élément non négligeable de son charme. Disons, si vous voulez, qu'à l'aune des modèles féminins aujourd'hui adulés dans votre pays elle appartenait au camp de Gwyneth Paltrow plutôt qu'à celui de Britney Spears.

Ah, je vois que ce clin d'œil culturel est tombé dans l'oreille d'un sourd ! Vous paraissez distrait, sir. Les jolies filles des Beaux-Arts ont de toute évidence capturé à nouveau votre attention. Ou bien êtes-vous intrigué par cet homme qui vient de s'arrêter à côté d'elles, là-bas, et dont la barbe est bien plus longue que la mienne ? Vous pensez qu'il s'apprête à les tancer pour l'immodestie de leur tenue, ces tee-shirts, ces jeans ? Je ne crois pas, non. Ces filles paraissent à l'aise dans ce secteur, qu'elles semblent connaître et fréquenter régulièrement, et c'est lui qui détonne. De plus, l'une des nombreuses lois non écrites qui régissent les bazars de Lahore veut qu'une femme importunée par un homme puisse faire appel aux instincts fraternels de la foule, laquelle est connue pour ne pas hésiter à corriger physiquement quiconque harcèle l'une de ses sœurs et… Voyez, sir ! Il est reparti. Il ne faisait que regarder fixement quelque chose qu'il trouvait surprenant. Tout comme vous, sir, bien que vous soyez évidemment beaucoup plus discret.

À propos de regard : cet été-là en Grèce, j'ai fait de mon mieux pour ne pas laisser le mien trop se poser sur Erica. Vers la fin de notre voyage, cependant, sur l'île de Rhodes, je n'ai pu résister plus longtemps. Connaissez-vous Rhodes ? Il faut que vous y alliez !

Je l'ai trouvée très différente des autres îles où nous étions passés, avec ses villes fortifiées, protégées par des châteaux médiévaux. Ils montaient la garde face aux Turcs de même que l'armée, la marine et l'aviation de la Grèce moderne le font de nos jours. Ils étaient une partie du rempart contre l'Orient qui s'élève toujours. Comme c'était curieux de me dire que j'étais né et avais grandi de l'autre côté !

Mais enfin, « ni d'ici ni de là-bas », pour citer le barde d'Avon ! J'en étais au moment où j'ai été forcé de la regarder. Nous étions sur une plage. Nombre d'Européennes autour de nous bronzaient poitrine nue comme elles en ont l'habitude, une habitude que j'applaudissais des deux mains mais que nos jeunes princetoniennes s'étaient jusqu'ici abstenues d'adopter, malheureusement. Soudain, j'ai remarqué qu'Erica délaçait les fines bretelles de son bikini et là, alors que je me trouvais à une longueur de bras, elle a exposé ses seins aux rayons du soleil.

Un moment plus tard – oui, vous avez raison, je ne suis pas honnête, là : je devrais dire « un *long* moment plus tard » –, elle a tourné la tête vers moi et découvert que j'avais les yeux fixés sur elle. Plusieurs options se sont télescopées dans mon esprit : je pouvais les baisser brusquement, ce qui aurait seulement prouvé que non seulement j'étais en train de la reluquer mais que j'étais gêné par sa nudité, en plus ; attendre un bref instant et les porter ailleurs, comme si la contemplation de ses seins était l'activité la plus naturelle qui soit ; continuer à regarder et manifester ainsi avec franchise mon admiration envers ce qu'elle avait révélé, ou encore avoir recours à une spirituelle allusion littéraire en lui faisant remarquer qu'une scène du *Monsieur Palomar* de Calvino résumait parfaitement mon dilemme. Mais je n'ai rien fait de tel. Je me suis borné à rougir et à bredouiller un « Salut ! ». Elle a souri avec une timidité étonnante chez elle, m'a-t-il semblé, et répondu par : « Hello. » J'ai hoché la tête, tenté de trouver une repartie, et je n'ai pu que répéter : « Salut », et aussitôt j'ai désiré que le sol m'engloutisse tant j'avais conscience de paraître d'une idiotie rare. Elle s'est mise à rire, ce qui a fait tressauter ses petits seins, puis elle a annoncé : « Je vais me baigner. » Elle s'est levée, a fait quelques pas puis, se tournant à moitié vers moi : « Tu veux venir ? »

Je l'ai suivie, admirant cette fois les muscles de ses reins se tendre avec délicatesse en soutien à la colonne vertébrale. Nous sommes arrivés au bord de l'eau, chaude et transparente, qui laissait apercevoir des galets ronds et de minuscules poissons filant en éclairs argentés. Nous y sommes entrés. Elle est partie au milieu de la baie dans une brasse énergique, m'a attendu le temps que je la rejoigne. Pendant un moment, nous sommes restés à la même place, silencieux. Je sentais nos jambes se frôler tandis que nous battions des pieds pour nous maintenir à la surface. Elle a parlé, enfin :

« Je ne crois pas avoir jamais rencontré quelqu'un de notre âge aussi poli que toi.

— Poli ? » ai-je repris avec un air qui ne trahissait pas une joie indicible.

Elle a souri.

« Je ne le disais pas dans ce sens. Pas *affreusement poli*. Respectueux. Tu n'empiètes jamais sur la vie des gens. J'apprécie beaucoup ça. Ce n'est pas courant. »

Pendant que nous continuions à flotter face à face, l'intuition m'est venue qu'elle attendait que je commente sa remarque mais tous mes mots m'avaient quitté, occupé comme je l'étais à m'efforcer de garder une expression pas complètement stupide. Soudain, elle s'est détournée et s'est mise à nager vers le rivage, cette fois en gardant la tête hors de l'eau. Je me suis propulsé à sa hauteur et, retrouvant l'usage de ma langue, je lui ai proposé :

« Et si nous retournions en ville prendre un verre ? »

À quoi elle a rétorqué, avec un sourcil levé et une intonation volontairement affectée :

« J'en serais ravie, sir. »

Quand nous sommes revenus sur la plage, elle a enfilé une chemise – je me rappelle que c'était une chemise d'homme, bleue, au col usé –, fourré sa serviette et son maillot deux-pièces dans son sac. Aucun de nos compagnons n'ayant manifesté l'intention de nous accompagner, puisqu'il restait encore une bonne heure de bronzage possible avant la tombée du soir, nous sommes remontés tous les deux à la route et nous avons trouvé un autobus. Assis à côté d'elle sur la banquette, j'étais très conscient de ce que sa jambe nue se trouvait à un centimètre à peine de ma main, qui reposait sur ma cuisse.

Comme la sensibilité à la vue d'un corps féminin est exacerbée, quand on est au Pakistan ! C'est remarquable, vous ne pensez pas ? Tenez, même ce barbu auquel vous continuez à lancer des coups d'œil préoccupés de temps à autre, je l'ai noté, est incapable de s'abstenir d'observer à la dérobée, par-dessus son épaule, ces filles qui sont maintenant à plus de cinquante mètres de lui ! Et pourtant elles ne laissent à découvert que leur visage, leur cou et les trois quarts des bras, elles ! C'est la loi de la pénurie : observer les règles de la décence que l'on s'est choisies ne rend l'indécence que plus fascinante. J'ajoute qu'une fois ces réflexes assimilés il faut du temps pour s'en défaire, si jamais on y parvient : ainsi, bien qu'ayant déjà passé quatre ans en Amérique avant ce voyage à Grèce, et ayant donc connu la promiscuité habituelle à la vie étudiante, je continuais à réagir avec une particulière acuité à la chair féminine exposée.

Et c'est pour éviter de me plonger trop impoliment dans la contemplation des jambes dorées comme les blés d'Erica que je lui ai demandé si sa chemise avait jadis appartenu à son père.

« Non, m'a-t-elle répondu en pinçant tendrement le tissu entre son pouce et son majeur, elle était à mon petit ami.

— Ah... Je ne savais pas que tu en avais un.

— Il est mort l'an dernier. Il s'appelait Chris. »

J'ai dit que j'étais navré, que c'était une fort belle chemise et que Chris avait eu un goût très sûr. Elle a abondé dans ce sens, m'informant qu'il avait toujours été plutôt dandy et que, même à l'hôpital, sa coquetterie avait été remarquée par les infirmières, charmées par ce garçon séduisant à l'élégance Vieux Monde, pour reprendre son expression.

Arrivés en ville, nous avons trouvé un café près du port, à la terrasse ombragée par des parasols bleus et blancs. Elle a commandé une bière, je l'ai imitée. « Alors, c'est comment, le Pakistan ? » a-t-elle interrogé. Je lui ai dit que c'était plein de choses, le Pakistan depuis la côte jusqu'au désert en passant par les terres cultivées qui s'étendent entre fleuves et canaux. Je lui ai raconté que j'étais allé en Chine avec mes parents et mon frère par la route de la Soie, que notre voiture avait parcouru des fonds de vallées plus élevés que les sommets des Alpes. Je lui ai parlé du trafiquant chrétien qui me livrait les bouteilles à domicile dans son pick-up Suzuki puisque les musulmans n'avaient pas le droit d'acheter de l'alcool. Elle m'a écoutée avec une succession de brefs sourires, comme si elle goûtait chacune de mes notations, les trouvait savoureuses. À la fin, elle m'a dit : « Ton pays te manque. »

J'ai haussé les épaules. C'était souvent le cas en effet, mais là, à cet instant, j'étais content d'être ailleurs. Elle a sorti le petit calepin, relié d'un cuir souple et orangé, dans lequel je l'avais vue prendre quelques notes pendant des moments creux de la journée, me l'a tendu avec un crayon.

« Ta langue, ça ressemble à quoi ?

— Eh bien, l'urdu ressemble à l'arabe mais nous avons plus de lettres.

— Montre-moi. »

J'ai tracé quelques mots.

« C'est très beau, a-t-elle affirmé en me regardant dans les yeux. Qu'est-ce que ça signifie ?

— Ça, c'est ton nom. Et en dessous, le mien. »

Nous sommes restés à bavarder pendant que le soleil se couchait. Elle m'a parlé de Chris. Ils avaient été voisins de palier durant leur enfance, les meilleurs amis du monde avant même d'avoir échangé leur premier baiser, ce qui était arrivé quand ils avaient six ans mais ne s'était pas reproduit avant qu'ils atteignent les quinze. Il possédait une collection de bandes dessinées européennes qui les fascinaient l'un et l'autre, au point de passer des heures à les lire et à en composer d'autres, Chris se chargeant des dessins et Erica des textes. Ensuite, ils avaient été tous deux acceptés à Princeton mais il n'y était pas allé car il avait appris qu'il était atteint d'un cancer du poumon : il n'avait fumé qu'une seule cigarette dans sa vie, a-t-elle précisé en souriant, et c'était après avoir reçu les résultats de la biopsie. Entrée à l'université, Erica avait veillé à ne prendre aucun cours le vendredi afin de pouvoir passer trois jours par semaine avec lui, à New York. Il était mort trois ans plus tard, pendant qu'elle terminait sa licence.

« Donc je peux dire que j'ai le mal du pays, moi aussi, sauf que mon pays était un garçon aux doigts longs et maigres », a-t-elle conclu.

Lorsque nous sommes allés dîner avec le groupe plus tard, Erica a choisi de s'asseoir en face de moi. Après nous avoir tous fait rire avec ses fantastiques imitations – j'ai trouvé qu'il exagérait quelque peu mes tics de langage mais les autres étaient parfaitement bien vus –, Chuck a entrepris le tour de la table en demandant à chacun d'entre nous ce qu'il ou elle rêvait d'être un jour. Quand je me suis retrouvé sur la sellette, j'ai annoncé que mon rêve était de devenir le président-dictateur d'une république islamique dotée de l'arme nucléaire. Comme le reste des convives paraissaient choqués, j'ai dû expliquer que je plaisantais ; seule Erica, qui apparemment comprenait mon sens de l'humour, a souri.

Elle a dit qu'elle voudrait être romancière. Elle avait l'intention de retoucher sa thèse en écriture créative, une œuvre de fiction qui avait remporté un prix à Princeton, de la présenter à des agents littéraires et de voir leurs réactions. Elle parlait peu d'elle-même, d'habitude, et ce soir-là elle l'a fait à voix presque basse, en me regardant souvent. Comme toujours, elle a réussi à captiver tous les autres et cependant j'ai eu l'impression que c'était avec moi qu'elle partageait ses idées les plus intimes, qu'il existait une complicité entre nous. Cette sensation a été encore renforcée lorsque, sans même que je le demande, elle est venue à mon aide pour enlever les arêtes du poisson que j'avais dans mon assiette.

Pendant cet été en Grèce, il ne s'est rien passé de physique entre elle et moi, sinon nous tenir par la main quelquefois. Mais elle m'a donné son numéro de téléphone à New York, que nous allions tous deux regagner et où elle voulait m'aider à m'installer. Pour ma part, j'étais heureux d'avoir fait connaissance d'une femme qui me tenait déjà sous son charme. La nouvelle vie qui allait commencer pour moi n'en était que plus prometteuse d'aventures et découvertes.

Mais qu'est-ce que c'est que ça ? Ah, c'est votre téléphone portable ! Je n'en avais encore jamais vu de semblable. C'est sans doute l'un de ces appareils qui captent les signaux satellitaires quand il n'existe pas de couverture locale ? Mais quoi, vous ne répondez pas ? Je vous jure, sir, que je ferais *tout mon possible* pour m'abstenir de prêter l'oreille à votre conversation. Ah ! vous préférez envoyer un texto. C'est fort sage : quelques mots sont plus que suffisants, très souvent. Quant à moi je ne vois aucun inconvénient à attendre tandis que vous vous escrimez sur ces petites touches, puisque les jeunes filles des Beaux-Arts viennent de terminer leur thé et que l'agrément procuré par leur présence va persister encore quelques instants avant qu'elles ne disparaissent – car c'est inévitable, bien sûr – à ce coin de rue.

3

Nous autres indigènes raffolons des derniers jours de ce qui passe pour le printemps, à Lahore. Bien que vif, le soleil exerce un effet remarquablement apaisant… « sur nous », devrais-je préciser, car en ce qui vous concerne vous me paraissez toujours aussi mal à l'aise, sir. J'espère que vous me pardonnerez cette comparaison mais ces regards insistants avec lesquels vous balayez les alentours, comme si une roue dentée pivotait lentement dans votre crâne, me rappellent le comportement d'un animal qui s'est aventuré trop loin de son gîte et, désormais dans des parages inconnus, ne sait plus s'il est le prédateur ou la proie.

Cessez, je vous prie, de vous sentir sans cesse épié. Observez, au contraire. Notez-vous comme les ombres se sont allongées ? Aux deux entrées du bazar, la circulation va bientôt être suspendue, transformant Anarkali en une paisible zone piétonnière. En fait, c'est déjà le cas mais les contrevenants… Ces deux garçons sur un scooter, pensez-vous que la police va les arrêter ? Il faudrait d'abord qu'elle les attrape ! Non, ils se hâtent, ils vont réussir à filer. Mais ce seront les derniers car, voyez, les portes sont maintenant fermées et l'interstice qui demeure est trop étroit pour laisser passer le moindre véhicule.

Vous avez certainement remarqué que les faubourgs de Lahore les plus récents sont peu propices à la marche. Leurs vastes espaces, grands jardins publics, larges boulevards bordés d'arbres, imposent une hiérarchie qui nous vient de notre passé rural, la supériorité traditionnelle du cavalier sur l'humble paysan cheminant à pied. Ici, par contre, sur ce trottoir où nous sommes assis et dans les quartiers encore plus anciens qui s'étendent entre notre position et le fleuve Ravi, dans ce labyrinthe de ruelles saturées, la vie urbaine se montre résolument… démocratique, puisque le cavalier moderne est contraint d'abandonner ses quatre roues et de se joindre à la foule des passants.

Pareil qu'à Manhattan, me direz-vous ? Mais oui, justement ! C'est l'une des raisons pour lesquelles j'ai eu la surprise, en arrivant à New York, de me sentir autant chez moi. Il y en a eu d'autres, bien entendu : les chauffeurs de taxi s'exprimant en urdu, le Pak-Pendjab Deli qui, à deux rues seulement de mon studio de l'East Village, proposait channas et samosas, le hasard qui pouvait me faire entendre, alors que je regardais un défilé passer sur la Cinquième Avenue, un air sur lequel j'avais dansé au mariage d'une cousine, sorti des haut-parleurs du chariot de l'Association des gays et lesbiennes d'Asie du Sud.

Dans le métro, mon teint me situait invariablement au centre de la palette des couleurs de peau ; aux carrefours, des touristes m'arrêtaient pour demander leur chemin. Oui, pendant quatre ans et demi je ne suis jamais devenu américain mais j'ai été, *d'emblée*, un New-Yorkais !

Pardon ? J'ai élevé la voix ? Vous avez raison : dès que je repense à cette ville, j'ai tendance à me laisser emporter par mes sentiments. New York occupe jusqu'à ce jour une place très chère dans mon cœur et, permettez-moi de le souligner, les conditions dans lesquelles j'ai dû m'en éloigner après seulement huit mois passés là-bas ne rendent cet attachement que plus remarquable.

Il va sans dire que ma fascination initiale pour la ville tenait pour beaucoup à ma fierté de rejoindre Underwood Samson. Je me rappelle encore l'émerveillement qui a été le mien le premier jour où je me suis présenté à leurs bureaux. Ils planaient au quarante et unième et quarante-deuxième étage d'un gratte-ciel de Manhattan, plus haut que si deux immeubles importants de Lahore avaient été empilés l'un sur l'autre. Même si j'avais déjà souvent pris l'avion et si j'avais connu l'Himalaya, rien ne me préparait à la vue spectaculaire que l'on avait dès que l'on sortait de l'ascenseur, à la sensation de puissance qu'elle provoquait. Ceci appartenait à un autre monde que le Pakistan, ai-je pensé à cet instant : ce qui me supportait ainsi dans les airs était le résultat de la civilisation la plus inventive que l'humanité ait jamais produite.

Pendant tout mon séjour dans votre pays, de telles comparaisons sont souvent venues me troubler. Plus que troubler, même : m'inspirer un ressentiment croissant. Quatre mille ans plus tôt, au temps où les ancêtres de ceux qui allaient conquérir et coloniser l'Amérique n'étaient que des barbares illettrés, nous, les peuples du bassin de l'Indus, bâtissions déjà des villes tracées au cordeau et dotées d'égouts souterrains. Aujourd'hui, notre paysage urbanistique est un chaos nauséabond tandis que l'Amérique s'enorgueillit d'universités où une seule chaire dispose de plus de moyens que tout notre budget de l'Éducation nationale. Le rappel de ces criantes disparités me plongeait chaque fois dans la honte.

Mais pas ce jour-là, non. Pas cette première journée à Underwood Samson. Je ne me sentais plus du tout pakistanais, d'un coup. J'étais fier d'être l'un de leurs collaborateurs débutants, fier de ces locaux impressionnants que j'aurais tant voulu montrer à mes parents et à mon frère. Mon ravissement devant la vue panoramique n'a pas duré longtemps, cependant, car tous les nouveaux venus ont bientôt été convoqués dans une salle de réunion où l'un des vice-présidents, un certain Sherman, dont le crâne rasé de frais luisait doucement, nous a présenté le credo de l'entreprise.

« Nous sommes une méritocratie », a-t-il assené d'entrée avant de développer cette thèse : « Être les meilleurs, c'est ce que nous recherchons. Vous étiez les meilleurs candidats issus des meilleures facultés de ce pays, et c'est pourquoi vous êtes ici aujourd'hui, mais la méritocratie ne s'arrête pas une fois que l'on a été engagé. Vous allez être notés et classés tous les six mois. Cette évaluation vous sera communiquée. Vos primes, votre avancement en dépendront. Si vous travaillez bien, vous serez récompensés. Autrement, ce sera la porte. C'est aussi simple que cela. La première évaluation aura lieu à l'issue de votre période de formation. »

Simplissime, en effet. J'ai lancé un coup d'œil autour de la table, guettant la réaction des autres stagiaires. Il y en avait cinq, en plus de moi. Quatre d'entre eux étaient raides et guindés sur leurs chaises ; le cinquième, un nommé Wainwright, paraissait moins tendu. Faisant tourner son crayon entre ses doigts d'une manière qui rappelait Val Kilmer dans *Top Gun*, il s'est penché sur moi pour chuchoter : « Pas de place pour les seconds ici, jeunot ! — Tu m'fais trop peur, mec », ai-je répliqué en tentant d'imiter le phrasé nonchalant d'un aviateur de la Navy. Nous avons échangé un sourire entendu.

Mais outre ce genre d'apartés qui se voulaient cocasses nous avons vite découvert que les bureaux d'Underwood Samson n'étaient pas vraiment propices à la rigolade. Pendant le mois suivant, les jours se sont succédé selon un emploi du temps inflexible. Le matin, c'était trois heures de cours magistraux qui avaient pour ambition de résumer l'enseignement de toute une année en business school. Nos professeurs venaient des écoles les plus réputées – pour la gestion financière, par exemple, c'était une enseignante de Wharton qui venait nous parler –, et le résultat des examens auxquels ils nous soumettaient allait s'inscrire dans nos dossiers individuels.

La pause déjeuner au restaurant d'entreprise nous permettait d'admirer la rapidité et l'assurance avec lesquelles nos aînés titulaires expédiaient leurs sandwichs poulet-pesto-tomates séchées. Ensuite, une séance de travaux pratiques visait à nous familiariser avec des programmes informatiques tels que PowerPoint, Excel ou Access, installés en rond autour d'une instructrice aux allures de bibliothécaire que Wainwright avait surnommée Mamie Microsoft.

Puis nous terminions la journée divisés en deux groupes de trois pour ce que Sherman appelait « realityformation », des sessions où nous jouions des scènes de la vie réelle, comme un entretien avec un client mécontent ou une explication avec un chef comptable radin. On nous demandait d'analyser le mode de raisonnement de notre interlocuteur, d'identifier ses intentions et de les aiguiller vers la satisfaction de nos propres objectifs, tout cela finissant par constituer une sorte de judo mental à l'usage du businessman.

Je vous vois impressionné par le sérieux de cette préparation. Je l'étais aussi. C'était une application frappante du pragmatisme systématique – ce que d'aucuns nomment *professionnalisme* – qui explique le succès de votre pays dans de si nombreux domaines. À Princeton, l'accent était mis sur la créativité; à Underwood Samson, celle-ci n'était pas négligée, non, mais elle cédait le pas à *l'efficacité*. Rentabilité maximale, tel était le mot d'ordre auquel nous étions sans cesse renvoyés. Ce que l'on attendait de nous, c'était de définir la priorité, c'est-à-dire l'axe sur lequel la progression se révélerait la plus bénéfique, puis d'appliquer obstinément notre volonté à la réalisation de l'objectif.

Mais tout cela vous paraît peut-être fort rébarbatif, et je ne voudrais surtout pas donner l'impression que cette initiation à la haute finance me déplaisait. Tout au contraire, j'y prenais le plus grand plaisir. Non seulement je sentais mes capacités s'accroître mais je découvrais aussi des perspectives insoupçonnées s'ouvrir à moi. Je vais vous donner un exemple : les frais professionnels. Imaginez-vous à quel point on se sent stimulé lorsque l'on reçoit une carte de crédit de sa société avec l'autorisation, voire la recommandation de régler avec elle toutes les dépenses liées de près ou de loin à vos fonctions ? Suis-je bête ! Bien sûr que vous connaissez cette situation : n'êtes-vous pas ici en voyage d'affaires, vous-même ? Pour un jeune de vingt-deux ans comme moi, néanmoins, cela a été une illumination. Comment, je pouvais inviter à ma guise mes collègues à prendre un verre après le travail – une activité étiquetée officiellement « initiation à la sociabilité » – et dépenser impunément en à peine une heure ce que mon père avait du mal à gagner en une journée !

Ainsi que vous pouvez l'imaginer, nous ne perdions pas une occasion de nous *initier* mutuellement. Le souvenir de la première soirée entre collègues est toujours vivace dans mon esprit. Nous étions allés au bar de l'hôtel Royalton, 44e Rue, et Sherman, qui nous accompagnait à cette occasion, avait commandé une bouteille de champagne millésimé afin de fêter dignement notre initiation.

J'ai contemplé notre petit groupe tandis que nous levions nos verres à notre santé. Deux des six stagiaires étaient des filles, Wainwright et moi n'étions pas des Blancs. Quelle admirable diversité ! Et pourtant nous étions semblables, à bien des égards : tous, Sherman compris, issus des meilleures universités – Harvard, Princeton, Stanford, Yale –, tous imbus de la même assurance satisfaite, tous de taille et de poids acceptables. L'idée m'est soudain venue – non, je dois être honnête, elle ne m'est venue que maintenant, mais en tout cas la voici : avec les cheveux coupés en brosse et en treillis-rangers, il aurait été pratiquement impossible de nous distinguer l'un de l'autre. Et quelque chose d'approchant a peut-être traversé le cerveau de Wainwright car il m'a alors lancé avec un clin d'œil un avertissement qui allait se révéler prémonitoire : « Prends garde au côté obscur de la Force, jeune Skywalker ! » Il avait en effet tendance à citer des répliques du cinéma populaire avec la même aisance que ma mère quand elle faisait allusion aux poèmes de Faiz et de Ghalib. Je suppose toutefois que cette particulière allusion à *La Guerre des étoiles* était essentiellement une boutade car aussitôt après Wainwright, comme moi-même, comme nous tous, s'est mis à écluser joyeusement les verres.

Le champagne terminé, Sherman s'est excusé, non sans nous recommander de continuer sans lui et de mettre la note au compte d'Underwood Samson. Suivant ses conseils, nous sommes sortis du bar vers minuit, tous assez pompettes. Dans le taxi que nous partagions pour retourner au Village, Wainwright m'a demandé : « Hé, man, le cricket, ça te branche ? » Comme je lui demandais ce qu'il entendait par là, il s'est montré plus explicite : « Mon père, c'est complètement son truc. Il vient de la Barbade, tu piges ? Caraïbes contre Pakistan », là, il a affecté un accent des Tropiques, « jamais vu un meilleur match de sélection moyenne ! » Avec un petit rire, j'ai remarqué : « Ce devait être dans les années 1980, alors, parce que l'une et l'autre équipes ont beaucoup baissé, depuis. »

Comme nous étions tous deux affamés, je lui ai proposé de nous arrêter chez Pak-Pendjab. Le patron m'a tout de suite reconnu : le matin où je lui avais confié que je me rendais à ma première journée de travail, il m'avait offert un coffret-déjeuner. « Mon ami ! » s'est-il exclamé en ouvrant les bras. Je l'ai salué par une légère inclination de la tête : « Jenaab, tu ne rentres donc jamais à la maison ?

— Pas assez, non, a-t-il soupiré.

— Cette fois, j'insiste pour payer. »

Dégainant ma carte de crédit, je me suis penché vers lui à la fois par discrétion et parce que j'avais du mal à tenir sur mes jambes : « Je suis sur notes de frais… »

Il a secoué la tête et, au grand amusement des chauffeurs de taxi venus se restaurer là après une rude journée, m'a présenté ses excuses : si je n'avais pas de liquide, je pourrais toujours payer plus tard, mais il n'était pas en mesure d'accepter l'American Express. Même si l'échange se déroulait en urdu, Wainwright a eu l'air de comprendre tout de suite.

« J'ai du cash, moi, a-t-il annoncé. Ça m'a l'air fameux, toute cette bouffe ! »

Cette remarque m'est allée droit au cœur. Comme vous avez dû le remarquer depuis que vous êtes ici, nous autres Lahoris sommes extrêmement fiers de notre cuisine traditionnelle. Par ailleurs, offrir à quelqu'un un repas est une initiative amicale propice à de futures manifestations de générosité réciproque. Une quinzaine de minutes plus tard, quand je l'ai vu se lécher les doigts après avoir terminé la dernière miette de sa portion, j'ai compris que j'avais trouvé l'âme sœur au bureau.

Tiens, mais vous tressaillez ? Ah, oui, ce mendiant constitue en vérité un spectacle vraiment poignant. On est obligé de se demander quelle série de coups du sort l'a laissé dans un état aussi lamentable. Il s'est traîné vers vous parce qu'il a vu que vous étiez un étranger. Allez-vous lui faire l'aumône ? Non ? C'est une très sage décision. Il ne faut pas encourager la mendicité et vous avez raison, oui : il vaut mieux aider les organisations caritatives qui s'attaquent aux causes de la pauvreté plutôt qu'un individu pareil, qui n'est qu'un symptôme de cette dernière. Mais, mais, qu'est-ce qui me prend, à moi ? Absurdement, et parce que j'ai perdu l'habitude, je lui ai tendu quelques roupies. Il nous offre ses prières pour notre bonne santé, maintenant, et… Voilà, il s'en va.

Je vous parlais de Wainwright. Au cours des semaines suivantes, il est devenu clair qu'il allait s'imposer comme le meilleur d'entre nous. Alors que notre petit groupe d'analystes stagiaires manifestait une forte compétitivité dans son ensemble – sans elle, nous n'aurions jamais pu atteindre le niveau requis par Underwood Samson –, Wainwright adoptait une attitude plus subtile. Toujours affable et irrévérencieux, mon ami était naturellement populaire dans un cadre collectif mais il avait aussi des prédispositions que j'ai aussitôt remarquées : ses exposés étaient d'une époustouflante clarté, son aisance dans nos exercices de simulation était évidente et il avait l'instinct pour repérer ce qui distinguait la bonne affaire du mauvais plan.

J'espère que vous ne me jugerez pas vaniteux si je vous dis que je sortais du lot, moi aussi. J'avais gardé de mes années de footballeur une sorte d'agressivité contrôlée – détermination, plutôt que véhémence – que je canalisais au service de ma volonté de réussir. Comment, me demanderez-vous ? Eh bien, en travaillant dur, plus dur sans doute que tous les autres. Quelques heures de sommeil par nuit me suffisaient à tenir le choc ; je me présentais à chaque cours dans un état de concentration extrême et ma persévérance était souvent l'objet de commentaires approbateurs de la part de nos instructeurs. Plus encore, ma politesse innée et mon sens des convenances, qui avaient pu parfois faire obstacle à des relations plus fluides avec mes semblables, se révélaient un atout de grande valeur dans le contexte professionnel où j'évoluais désormais.

Par la suite, je me suis demandé pourquoi mes manières gourmées avaient à ce point impressionné mes supérieurs. C'était peut-être ma façon de m'exprimer. L'Amérique n'a-t-elle pas été une colonie anglaise, comme le Pakistan ? Une élocution à l'anglaise ne continue-t-elle pas à symboliser pouvoir et autorité dans votre pays autant que dans le mien ? Ou bien c'était ma capacité à me montrer à la fois respectueux et sûr de moi dans un environnement hiérarchisé, un équilibre qui ne semble pas être inculqué aux jeunes Américains aussi fermement qu'il l'est à leurs homologues pakistanais. Quelle qu'en ait été la raison, en tout cas, j'avais conscience de l'avantage que me conférait mon appartenance à une culture différente et j'étais décidé à me servir autant que possible de cette carte.

La haute opinion que je m'étais faite de Wainwright et ma position privilégiée ont été l'une et l'autre confirmées lorsque nous avons été divisés en deux groupes pour nous rendre à la fête que l'entreprise organisait chaque été. Wainwright et moi-même avons été priés de prendre place dans la première limousine avec Jim, le directeur administratif qui avait procédé à notre embauche, les trois autres stagiaires rejoignant dans le second véhicule Sherman, que son titre de vice-président rendait moins important au sein du panthéon d'Underwood Samson. Comme ce genre de détails n'était jamais laissé au hasard, chez Underwood, nous avons tous compris que nos chefs voulaient faire passer un message.

Dans la même auto que la nôtre, il y avait quelques associés de la société et l'un des vice-présidents les plus proches de Jim. Tout le monde s'est rapidement mis à bavarder, sauf moi et Jim, qui suivait la conversation en silence. Quand il m'a lancé un coup d'œil, j'ai dû détourner le regard pour ne pas lui donner l'impression que je le contemplais depuis un moment. Il a continué à me dévisager avec calme, puis il m'a dit « Vous êtes quelqu'un d'observateur. Vous savez d'où ça vient ? » J'ai fait non de la tête. « De se sentir déplacé. C'est une sensation que je connais bien, croyez-moi. »

La réception avait lieu à la maison de vacances de Jim dans les Hamptons, une splendide propriété qui m'a fait penser à *Gatsby le Magnifique.* Sur une hauteur protégée de la plage par une barrière de dunes, elle offrait une piscine, des courts de tennis, et un grand auvent blanc au bout de la pelouse abritait un bar et une piste de danse. À notre arrivée, un orchestre de swing avait commencé à jouer et j'ai capté le parfum appétissant des steaks et des langoustes sur le gril. Très à l'aise, Wainwright a pris l'une de nos collègues par le bras et ils se sont mis à tournoyer sur la piste pendant que nous les regardions, verre à la main

Après un moment, j'ai quitté la tente pour faire quelques pas. Le soleil s'était couché, on apercevait les lumières d'autres maisons le long de la côte trembloter dans l'obscurité. Le murmure des vagues en contrebas m'a rappelé mon récent voyage en Grèce. Jusqu'alors, la mer avait été pour moi un luxe lointain, un univers d'aventures improbables, et voilà qu'elle était presque devenue quelque chose de banal ! Comme cela avait changé depuis que j'avais quitté Lahore quatre ans plus tôt !

Soudain, quelqu'un a parlé derrière moi.

« Je me souviens encore de ma première fête d'été à Underwood Samson. » C'était Jim. « Une très belle nuit, comme celle-ci. Barbecue, musique. Je ne sais pas pourquoi mais ça m'a rappelé Princeton, ce que j'avais éprouvé quand j'avais été pris là-bas. Et je me suis dit : « Je ne détesterais pas avoir une baraque dans les Hamptons, moi aussi… » »

J'ai souri. En écoutant Jim, on avait l'impression de s'entendre penser à voix haute.

« Je vois ce que vous voulez dire, oui. »

Jim a posé son regard sur les rouleaux et nous sommes restés en silence un moment, puis il m'a interrogé :

« Vous avez faim ?

— Oui, ai-je avoué.

— Parfait ! »

Il m'a tapoté l'épaule en signe d'approbation, presque une manchette, un geste d'une surprenante énergie. Puis il m'a ramené vers les invités.

Pendant la soirée, je me suis souvent surpris à regretter qu'Erica n'ait pas été là. Vous vous demandiez ce qu'elle était devenue ? Eh bien non, je ne l'avais pas oubliée et elle occupait une place importante dans ma vie new-yorkaise, mais j'y reviendrai d'ici peu. Ce que je voulais noter, pour l'instant, c'est que la demeure de Jim me semblait tellement remarquable que j'ai alors pensé que *même* Erica aurait été impressionnée. Ce qui était beaucoup dire, ainsi que vous le comprendrez bientôt.

Une semaine après, notre formation s'est officiellement terminée et Jim nous a convoqués un par un dans son bureau.

« Alors, comment vous vous en êtes tiré, d'après vous ? s'est-il enquis.

— Plutôt pas mal, ai-je rétorqué.

— Mieux que ça, même, m'a-t-il corrigé en riant. Vous êtes le premier de votre groupe. Vos instructeurs estiment tous que vous êtes un battant, avec juste ce qu'il faut d'agressivité. N'ayez pas honte de cet aspect de votre personnalité. Cultivez-le, au contraire, il vous mènera loin. »

J'étais ravi, mais comme je ne trouvais rien à répondre Jim a poursuivi : « J'ai un projet qui va commencer bientôt. Aux Philippines. Une affaire dans la musique. Ça vous dit ?

— Tout à fait, oui. Merci. »

Wainwright m'attendait à la sortie du bureau de Jim. Très souriant, il m'a lancé :

« C'est moi le second, donc. Je m'étais dit que tu aurais la première place et je vois à ton air béat que je ne me suis pas trompé.

— J'ai eu de la chance, c'est tout.

— Attends, pas tant de chance que ça ! a-t-il plaisanté en me prenant par les épaules. Parce que maintenant, tu me dois un verre ! »

À cet instant, j'étais heureux, indubitablement. Le succès paraissait me tendre les bras. Rien ne m'effrayait. J'étais jeune, j'étais à New York avec la ville à mes pieds. Mais tout cela allait encore changer, si vite. Aussi vite que ce bazar vient de se transformer, disons. Observez avec quelle rapidité toutes ces tables sont apparues sur les trottoirs. En un rien de temps, les passants se sont agglutinés là où quelques minutes plus tôt il n'y avait qu'embouteillages et coups de klaxon. Quelqu'un qui arriverait maintenant penserait que tel est l'aspect d'Anarkali à toute heure du jour et de la nuit, n'est-ce pas ? Mais nous, qui avons été témoins de la mutation, nous savons que ce n'est pas le cas. Eh oui, vous et moi sommes désormais relativement au fait de l'histoire récente de cet endroit et, à mon humble avis, cela nous permet de considérer le présent selon une perspective bien plus pertinente.

4

Je vois que vous avez remarqué cette cicatrice sur mon avant-bras, là où la peau est à la fois plus sombre et plus lisse. On m'a souvent dit qu'elle ressemblait à une brûlure de corde. Mes amis plus enclins à l'exercice physique que moi prétendent qu'elle leur rappelle les marques dont sont constellés les alpinistes, les adeptes de la descente en rappel. C'est peut-être la même hypothèse qui a traversé votre esprit car j'ai noté une certaine perplexité sur vos traits, comme si vous vous demandiez quel genre d'entraînement aurait conduit un citadin, un homme de la plaine tel que moi, à pratiquer pareilles activités.

Laissez-moi donc vous rassurer, sir, et vous dire que l'origine de cette blessure n'est que très banale. Nous sommes régulièrement confrontés ici à un phénomène dont vous n'avez certainement jamais eu à pâtir, citoyen d'un pays d'inépuisable abondance que vous êtes : en hiver, lorsque les réservoirs de nos grands barrages se retrouvent presque à sec, l'électricité vient à manquer, nous exposant à des pannes qui affectent tantôt une région, tantôt l'autre. Afin d'en limiter les inconvénients, chaque foyer conserve en permanence un stock de bougies. J'étais enfant quand, au cours de l'une de ces pannes, j'ai voulu mener une expérience : saisissant une chandelle, je l'ai penchée au-dessus de mon bras et j'ai fait couler la cire brûlante. En Amérique, cela aurait vraisemblablement été le coup d'envoi d'une longue et coûteuse action en justice contre le fabricant de sources lumineuses aussi peu fiables ; ici, l'incident s'est limité à une soirée de sanglots étouffés et à la cicatrice étrangement régulière que vous avez remarquée.

Ah, ils viennent d'allumer les guirlandes électriques qui surplombent le marché ! Un peu kitsch, dites-vous ? Oui, vous avez raison. Moi-même, j'aurais choisi un éclairage plus discret, mais regardez le ravissement sur tous ces visages levés autour de nous ! N'est-ce pas remarquable, ce que la lumière artificielle peut avoir de *théâtral* dès que le soleil se couche, les émotions qu'elle continue à éveiller en nous même en ce début de XXIe siècle, même dans des villes aussi importantes et animées que celle-ci ? Pensez à la charge esthétique et sentimentale que peut avoir l'Empire State Building lorsqu'il s'illumine en vert pour la Saint-Patrick, en bleu pâle le soir de la mort de Frank Sinatra ; New York la nuit reste certainement l'un des spectacles les plus grandioses que cette planète ait à offrir.

Je n'ai oublié aucune de mes explorations nocturnes de Manhattan, la plupart ayant eu Erica pour guide. Peu après notre retour de Grèce, elle m'avait invité à dîner chez ses parents et j'avais passé l'après-midi à hésiter sur la manière dont je m'habillerais. Sachant qu'elle venait d'un milieu aisé, j'imaginais que ses proches seraient vêtus avec une élégance décontractée que j'aurais voulu imiter. Mon unique costume était donc trop guindé et mon blazer, certes plus adéquat mais vieux de quelques années, me paraissait défraîchi. Finalement, j'avais décidé de jouer la carte de la diversité culturelle qu'aucun code vestimentaire moderne ne réprouve, et j'avais passé un *kurta* en coton blanc finement tissé sur un simple jean.

Je dois dire que mon trajet en métro dans cette tenue ne m'a pas inspiré la moindre gêne, preuve incontestable de l'ouverture d'esprit – ou, pour reprendre un terme rabâché, du *cosmopolitisme* – du New York de l'époque. À part un quinquagénaire homosexuel qui m'a adressé un sourire engageant mais discret, personne ne m'a prêté attention jusqu'à ce que je quitte la ligne 6 à la sortie de la 72e Rue, en plein cœur de l'Upper East Side. Même si c'était la première fois que je m'y rendais, ce quartier de bistros accueillants, de magasins huppés et de jolies femmes promenant leur chien en minishorts m'a semblé étonnamment familier ; c'est seulement par la suite, en y repensant, que j'ai compris que c'était parce que ma mémoire avait enregistré les images des multiples films qui l'ont pris pour scène.

La famille d'Erica habitait un immeuble imposant dont l'entrée était protégée par un dais en toile bleue et par un concierge blanchi sous le harnais qui m'a accueilli avec la même froideur désapprobatrice que s'il avait été le gardien d'une résidence patricienne de Lahore devant laquelle je m'étais présenté dans une vieille guimbarde rouillée. Bien entendu, je lui ai exposé l'objet de ma visite sur un ton tout aussi distant et légèrement agacé, juste de quoi lui faire comprendre qu'il m'avait offensé mais que je ne m'abaisserais pas à faire le moindre commentaire à ce sujet. Cette tactique a eu l'effet désiré : après avoir appelé l'appartement pour vérifier que j'étais bien attendu, il s'est hâté de me conduire lui-même à l'ascenseur, m'invitant à appuyer sur le bouton du penthouse, un terme qui évoquait en moi le luxe et, je l'avoue, la luxure. C'est donc le cœur battant que je me suis présenté à leur porte, laquelle s'est ouverte sans que j'aie eu à sonner.

Erica m'a accueillie avec un sourire. Sa peau bronzée rayonnait de bonne santé. Je ne me souvenais pas à quel point elle était attirante mais là, dans l'intimité du hall d'entrée, sa présence physique m'a obligé à baisser les yeux.

« Waouh », a-t-elle fait en parcourant du bout de son index les broderies sur le col de mon *kurta*, « quelle allure tu as ! »

Je lui ai répondu que la sienne était très bien aussi, et j'étais sincère, bien qu'elle ne parût pas s'être autant préoccupée de son apparence que moi puisqu'elle ne portait qu'un court tee-shirt à l'effigie de Mighty Mouse. Ayant annoncé qu'elle voulait me montrer quelque chose, elle m'a précédé dans sa chambre, qui devait être à elle seule deux fois plus grande que le studio que j'occupais. Des cartons d'ouvrages universitaires, un bureau équipé d'un ordinateur et d'une imprimante laser, un immense lit couvert de vêtements éparpillés, un punching-ball suspendu au plafond par une chaîne : on avait l'impression que cette pièce recelait tout son univers, depuis toujours.

Étonnamment, je me suis senti... chez moi. Était-ce parce que j'avais mené une existence très vagabonde ces derniers temps, ballotté d'un dortoir étudiant à un autre, et que la stabilité rassurante de ma vie passée m'inspirait une certaine nostalgie? Ou parce que ma famille et le confort d'un vrai foyer me manquaient, un espace où plusieurs générations cohabitaient, loin de la ségrégation par tranches d'âge que je venais de connaître? Ou tout simplement parce qu'une chambre spacieuse dans un appartement de grand standing de l'Upper East Side constituait l'équivalent américain, en termes de statut socio-économique, d'une chambre spacieuse dans une maison de grand standing de Gulberg, c'est-à-dire là où j'avais passé mon enfance et mon adolescence? Quelle que soit la raison, j'ai souri joyeusement et Erica, me voyant réagir ainsi, a souri également tout en me tendant un mince paquet enveloppé de papier kraft.

« Je l'ai fini », a-t-elle déclaré d'un ton solennel.

J'ai attendu qu'elle m'en dise plus, mais comme elle en restait là j'ai dû m'informer :

« Fini quoi ?

— Mon manuscrit ! Je l'envoie à un agent demain. »

Je l'ai saisi avec cérémonie, le laissant reposer sur mes paumes ouvertes.

« Félicitations ! » Le paquet était très léger, ce qui m'a conduit à ajouter : « Il est complet ?

— Oui. En fait, c'est plus une longue nouvelle qu'un roman. Avec plein d'espaces que les réactions du lecteur peuvent remplir. »

Je l'ai retourné, évaluant d'un coup d'œil sa masse compacte, le ruban adhésif qui le fermait, la modeste bosse à un coin.

« Ça te rend nerveuse, d'attendre la réponse ?

— Pas vraiment nerveuse, mais bizarre. C'est comme si j'étais une huître. Pendant longtemps, j'ai gardé en moi un petit débris coupant et comme il me gênait je l'ai peu à peu transformé en perle, mais maintenant qu'il m'a été retiré, maintenant que je ne l'ai plus à l'intérieur de moi je m'aperçois qu'il a laissé un vide, tu comprends, une déchirure dans mon ventre, et donc je ne sais pas, je voudrais le garder un peu plus avec moi.

— Pourquoi pas ? » ai-je dit en faisant mine de lui rendre le paquet.

Elle a souri, à nouveau.

« Je l'ai déjà assez retenu comme ça. Il se trouve dans cette enveloppe depuis pas mal de temps, tu sais. Avant notre voyage en Grèce. »

Je me suis senti flatté de la confiance qu'elle me manifestait. Je l'ai regardée dans les yeux et, pour la première fois, j'ai décelé une sorte de lésion en eux, comme une infime fêlure dans un diamant qui ne se perçoit que sous la loupe, l'éclat de la pierre précieuse la dissimulant à l'œil nu. J'aurais voulu comprendre d'où cela provenait, et ce qui l'avait amenée à produire cette perle dont elle venait de parler, mais je n'ai pas eu l'audace de l'interroger : c'est à celui ou celle qui détient ce genre de secret qu'il revient de choisir le moment et l'interlocuteur de la confidence. Sans un mot de plus, je me suis donc concentré pour que mon expression manifeste à elle seule ce désir de la comprendre.

Alors que nous quittions sa chambre, j'ai remarqué un dessin scotché au mur : sous un ciel d'orage, une île tropicale, une piste d'atterrissage et un volcan dont le cône très haut enserrait un cratère transformé en lac au milieu duquel se voyait un îlot, une île dans l'île qui semblait être un petit paradis de sérénité.

« Qu'est-ce que c'est ? ai-je demandé.

— C'est Chris qui l'a dessiné, m'a-t-elle appris. Nous devions avoir huit ou neuf ans. C'est inspiré d'un des albums de Tintin, *Vol 714 pour Sydney*.

— C'est très beau.

— Oui, hein ? Sa mère me l'a donné quand elle a rangé ses affaires, après… »

Je l'ai contemplé encore un moment, fasciné par la minutie du trait. Non par le style et le thème, évidemment, mais par cette attention portée au moindre détail, le dessin m'a rappelé nos miniatures traditionnelles, de celles que l'on peut admirer si on se donne la peine d'aller au musée de Lahore, tout près d'ici, ou à l'école des Beaux-Arts.

Erica m'a conduit à leur toit-terrasse, un nid d'aigle qui offrait une vue impressionnante sur Manhattan, et m'a présenté à ses parents. Sa mère, assise à une table de ping-pong reconvertie en table à dîner pour quatre, m'a salué puis, gardant ma main dans la sienne, elle a lancé à sa fille d'un air approbateur :

« Mignon !

— Du calme, maman », l'a reprise Erica.

Debout devant le barbecue, son père était occupé à disposer des hamburgers sur un plat. Son comportement indiquait clairement qu'il avait l'habitude d'exercer une autorité, qu'il pesait d'un poids notable dans le monde des affaires. Tandis que nous prenions place devant nos assiettes, il a levé en l'air une bouteille de vin rouge à mon intention.

« Vous buvez ?

— Il a vingt-deux ans ! » a protesté la mère d'Erica en ma faveur, d'un ton qui revenait à proclamer : « Bien sûr qu'il boit ! »

« J'ai eu un Pakistanais qui travaillait pour moi, dans le temps, a observé le père, et il ne touchait pas à l'alcool.

— Ce n'est pas mon cas, sir, l'ai-je assuré. Merci. »

Vous paraissez perplexe, et ce n'est pas la première fois. Est-ce ma barbe qui vous aurait conduit à des conclusions trop hâtives ? Dans tous les cas, je dois préciser que je ne la portais pas encore à mon arrivée à New York. La vérité, c'est que nombre de Pakistanais ne respectent pas l'interdiction de l'alcool, laquelle a grosso modo le même impact chez nous que celle du haschish chez vous. Plus encore, vous ne devez pas croire que tous ceux qui taquinent la bouteille parmi nous sont des citadins éduqués à l'occidentale tels que moi : nos journaux mentionnent souvent des cas de villageois pakistanais qui ont perdu la vue, ou même la vie, après avoir consommé quelque gnôle de contrebande particulièrement nocive. Dans notre poésie nationale, nos ballades traditionnelles, le thème de l'ivresse en tant qu'alliée de la passion amoureuse et de l'élévation spirituelle revient sans cesse. Eh oui, c'est un péché, sans aucun doute, tout comme convoiter la femme de son voisin, n'est-il pas vrai ? Ah, je vous ai vu sourire ! Nous nous comprenons très bien, donc.

Mais voilà que je me disperse. Je vous parlais de mon premier dîner partagé avec la famille d'Erica. C'était une chaude soirée, comme celle-ci : l'été new-yorkais ressemble au printemps à Lahore. Comme maintenant, une légère brise soufflait, chargée d'effluves de viande grillée, la même odeur que celle qui nous parvient maintenant des nombreux restaurants en plein air de ce bazar tandis qu'ils se préparent à l'affluence du dîner. Le cadre était grandiose, le vin délicieux, les hamburgers succulents et la conversation plutôt agréable, pour l'essentiel. Erica semblait heureuse de ma présence et sa joie déteignait sur moi.

Notre échange a pourtant pris un tour qui m'a quelque peu irrité, à un moment. Le père d'Erica m'ayant demandé quelles nouvelles j'avais de mon pays, j'ai répondu « Bonnes, merci », mais il a poursuivi en ces termes :

« Sauf que la situation économique se dégrade sans arrêt, non ? Corruption, autoritarisme, les riches de plus en plus riches alors que les autres souffrent. Ne vous méprenez pas, surtout : j'aime et je respecte les Pakistanais. Ce sont des gens fiables. Mais la classe dirigeante viole et pille sans scrupule, n'est-ce pas ? Et puis l'intégrisme ! Vous avez un sérieux problème avec l'intégrisme, vous autres. »

J'ai senti mes mâchoires se serrer. En elles-mêmes, ses remarques n'étaient pas déplacées ; il avait donné un résumé assez pertinent, dans le style concis des brèves en colonnes de la première page du *Wall Street Journal*, le quotidien que j'avais pris l'habitude de lire chaque matin. C'était le ton qu'il avait employé, cette nuance condescendante si typiquement *américaine*, si vous me pardonnez l'affirmation, qui m'avaient heurté. La politesse seule m'a conduit à offrir une réponse aussi neutre que possible.

« Il y a certes des défis à relever, sir, mais ma famille tout entière vit là-bas et je puis vous assurer que les choses ne vont pas aussi mal que certains le disent. »

Le dîner s'est terminé sans autre incident, heureusement, et peu après Erica et moi sommes descendus à Chelsea en taxi car l'une de ses amies, dont le père dirigeait une galerie d'art contemporain, l'avait invitée à un vernissage. Ayant surpris notre chauffeur en train de bavarder en pendjabi sur son téléphone portable, j'ai compris qu'il était pakistanais et en temps normal je l'aurais salué. Ce soir-là, cependant, j'ai préféré me taire. Erica, qui m'observait avec une curiosité non déguisée, a fini par demander :

« J'espère que tu n'es plus fâché à cause de ce que Papa a dit tout à l'heure ?

— Fâché ? ai-je rétorqué. Mais non, voyons ! Pas du tout ! »

Elle a ri gaiement.

« Tu mens affreusement mal, tu sais ? Dès qu'il est question de ton pays natal, tu es très susceptible. Ça se voit comme le nez au milieu de la figure.

— Dans ce cas, je m'excuse. Je n'avais aucune raison d'être impoli.

— Tu ne l'es jamais, impoli, a-t-elle affirmé en souriant. Et je trouve que c'est très bien d'être susceptible, de temps en temps. Ça prouve que tu te sens concerné. »

Nous nous sommes fait déposer 24e Rue Ouest, j'ai tenu à payer la course et Erica, après m'avoir pris par la main, m'a entraîné à l'intérieur d'un immeuble de type postindustriel, plutôt rébarbatif et mal entretenu. J'ai tout de suite entendu de la musique, toujours plus forte tandis que nous montions les escaliers en fer. Quand nous avons enfin poussé une porte coupe-feu, nous avons plongé dans un océan de bruit. La galerie occupait un grand espace tout blanc, aux lignes épurées et au mobilier minimaliste. Des projecteurs vidéo plaquaient des visages mouvants sur les traits de cire de mannequins blafards. J'ai compris que j'avais été entraîné dans un monde d'initiés, au sein du New York branché auquel je n'aurais pas eu accès sans Erica. Nous avons croisé des top-modèles, de vieux bonshommes artificiellement bronzés, des artistes aux tenues provocantes. J'étais content d'avoir choisi de porter un *kurta*.

Erica s'est vite retrouvée parmi un cercle d'amis que je n'avais jamais vus. En la regardant ainsi entourée, je me suis souvenu de notre voyage en Grèce, de l'attraction qu'elle exerçait sur tout notre groupe. Cette fois, néanmoins, c'était différent : elle avait choisi de m'emmener avec elle et tout au long de la soirée elle a pris soin de ne jamais perdre le contact avec moi, soit par le regard, soit en m'apportant de temps à autre un verre ou en m'effleurant le bras de sa main. Lorsqu'elle m'a posé un baiser sur la joue quelques heures plus tard, alors que je tenais ouverte pour elle la portière du taxi dans lequel elle allait retourner chez ses parents, j'ai eu l'impression que nous avions passé un moment de grande intimité même si nous n'avions échangé que quelques mots pendant le vernissage, et elle a peut-être eu une sensation similaire car elle m'a murmuré : « Merci. » J'ai pensé que je devrais la remercier, moi aussi, mais elle m'avait pris par surprise et elle était déjà partie quand j'aurais pu retrouver l'usage de la parole.

Les semaines suivantes, elle m'a invité plusieurs fois à la rejoindre ; contrairement au premier soir, pourtant, à ces instants en tête à tête dans sa chambre et dans le taxi, nous n'avons plus jamais été seuls. Nous sommes allés à un concert privé dans le Lower East Side, dans un restaurant français de l'ancien quartier des bouchers, à une soirée privée à TriBeCa, mais en toutes occasions nous étions accompagnés. Je la regardais souvent lorsqu'elle évoluait ainsi parmi ses amis ou de simples connaissances, et j'étais toujours frappé par sa réserve, son air songeur. C'était comme si la présence d'un groupe lui permettait de se retirer en elle-même, de prendre subtilement ses distances. Elle me faisait penser à un enfant qui ne peut s'endormir qu'avec la lumière allumée et la porte de sa chambre ouverte.

Parfois, elle surprenait mon regard sur elle et me souriait comme si je venais de poser un châle sur ses épaules à son retour d'une longue promenade dans le froid, ou du moins était-ce la nuance que je me flattais de voir dans ses yeux. Pendant ces sorties, nous n'échangions que des badineries et pourtant je sentais la confiance s'approfondir entre nous. À la fin de la soirée, quand elle m'embrassait sur la joue, j'avais l'impression qu'elle s'attardait chaque fois d'une fraction de seconde supplémentaire, jusqu'à ce que j'en arrive à capter une trace de son parfum, à sentir la douceur et le bombé de ses lèvres.

Le week-end précédant mon départ pour Manille, ma patience a été récompensée : Erica m'ayant proposé un pique-nique à Central Park, je me suis rendu compte qu'elle n'avait prévu d'y convier personne d'autre que moi. C'était l'un de ces fantastiques après-midi d'été new-yorkais où une forte brise venue de l'Atlantique fait onduler les arbres et courir quelques nuages ronds dans le ciel. Vous voyez parfaitement ce que je veux dire, n'est-ce pas ? La moiteur accablante de la fin juillet disparaît soudain, laissant la ville aspirer à pleins poumons un air plus vif, enivrant. Chapeau de paille sur la tête, Erica avait apporté un panier en osier garni de vin, de pain tout juste sorti du four, de viande froide, d'un assortiment de fromages, et de raisin, collation qui m'a paru non seulement appétissante mais hautement sophistiquée.

Étendus sur la pelouse, nous avons bavardé en mangeant.

« Est-ce que les gens font des pique-niques, à Lahore ? a-t-elle voulu savoir.

— Pas en été, non. Pas s'ils peuvent l'éviter, en tout cas. Le soleil est trop fort. Ceux qui vont s'asseoir dehors prennent garde à rester à l'ombre.

— Ça doit te paraître très étrange, alors…

— Non, au contraire, ça me rappelle quand on montait à Nathia Galli, au pied de l'Himalaya, ma famille et moi. On prenait souvent nos repas dehors, là-bas. Thé et sandwichs au concombre préparés par l'hôtel. »

L'image lui a inspiré un sourire, puis elle est devenue pensive.

« Je n'avais pas fait ça depuis longtemps, m'a-t-elle informé, sortant de son silence. Chris et moi, on venait très souvent dans ce parc. Avec ce même panier. On apportait des livres, on restait là des heures.

— Est-ce que c'est après sa mort que tu as cessé de venir ici ? »

Elle a arraché une marguerite, plaçant la queue entre ses dents.

« J'ai arrêté plein de choses, après. De parler aux gens, de manger. J'ai fini à l'hôpital. Ils m'ont dit de ne pas y penser autant, ils m'ont donné un traitement. Ma mère a dû prendre un congé de trois mois, parce que je ne pouvais pas rester seule. Mais on n'en a pas parlé en dehors de la famille et je suis retournée à Princeton à la rentrée, en septembre. »

Elle n'en a pas dit plus, et elle s'était exprimée d'une voix normale, posée, mais à nouveau j'ai eu un aperçu, encore plus clair qu'auparavant, de la fracture qu'il y avait en elle, et cela m'a inspiré une tendresse presque fraternelle envers elle. Au moment de partir, je lui ai proposé mon bras. Elle l'a accepté avec un sourire et nous avons quitté Central Park en marchant lentement. Je me rappelle encore combien sa peau paraissait souple et fraîche contre la mienne. C'était la première fois que nous restions si longtemps au contact physique l'un de l'autre. La sensation que provoquaient la robustesse de ce corps et la vulnérabilité de l'être qui l'abritait continuerait de me hanter longtemps après. En fait, des semaines plus tard, dans ma chambre d'hôtel à Manille, il m'arrivait encore de me réveiller en croyant revivre cette proximité, comme si un fantôme était venu me toucher.

Ah, quel manque de chance ! Les lumières se sont éteintes et... Mais pourquoi vous lever ainsi d'un bond ? N'ayez crainte, sir : comme je vous le disais plus tôt, les baisses de tension et les pannes électriques sont courantes, au Pakistan. Votre émoi est excessif, franchement ! Voyez, il ne fait pas encore nuit noire, le ciel au-dessus de nous conserve une touche de couleur et je vous distingue fort bien maintenant que vous êtes debout, une main passée à l'intérieur de votre veste. Si c'est ce que vous pensez, je veux vous rassurer tout de suite : personne n'essaiera de vous dérober votre portefeuille. Pour une ville de cette taille, Lahore est remarquablement épargné par la petite délinquance. Rasseyez-vous, je vous en prie, ou bien je serai forcé de me lever aussi, car je trouverais inconvenant de rester confortablement installé alors que mon hôte ne se sent pas à l'aise.

Voilà, la lumière est revenue, grâce au Ciel ! Rien de plus qu'une perturbation momentanée. Et vous qui avez sauté comme un mulot apercevant soudain l'ombre d'un aigle fondre sur lui ! Si je pouvais, je vous offrirais volontiers un doigt de whisky afin de vous calmer les nerfs. Du Jack Daniel's, par exemple ? Ah, vous souriez ! J'ai nommé une marque que vous appréciez, très visiblement. Hélas, sur ce marché, les seuls liquides qui ont votre pays pour origine sont des boissons gazeuses non alcoolisées. Mieux que rien, ne trouvez-vous pas ? Bien. Je vais appeler notre serveur sur-le-champ.

5

Voyez-vous, sir, les chauves-souris qui ont commencé à apparaître au-dessus de la place ? *Flippantes*, diriez-vous, non ? Quelle expression délicieusement américaine, une de celles que je n'ai plus entendues depuis des années ! Quant à moi, je ne les trouve pas du tout flippantes, ces créatures, et je dirais même que je les aime bien. Elles me rappellent mon enfance, quand elles piquaient sur nous pendant que nous nagions dans la piscine de mon grand-père, nous prenant peut-être pour des grenouilles. En ce temps-là, Lahore abritait des créatures de la nuit de taille encore plus impressionnante, que mon père appelait renards volants et que nous voyions pendues en grappes, tête en bas, dans les frondaisons des arbres les plus imposants, chaque fois que nous empruntions Mall Road en voiture. Elles ont disparu. Peut-être appartenaient-elles, de même que les papillons et les lucioles, à un monde plus *onirique* dont la pollution et la surpopulation des grandes villes modernes ont scellé la fin ? De nos jours, on n'en voit plus que quelques spécimens en pleine campagne.

Les chauves-souris ont survécu, elles. Comme à vous et à moi, la vie citadine leur convient ; elles sont assez rapides pour ne pas se faire repérer, assez madrées pour chasser dans les lieux les plus fréquentés. Je suis toujours émerveillé par leur aisance à évoluer dans l'espace urbain, par la façon dont elles frôlent tous ces bâtiments en évitant *in extremis* les collisions. Les papillons, au contraire, ont tendance à s'écraser bruyamment sur les pare-brise et j'ai vu un soir une luciole se battre avec obstination contre une fenêtre, incapable de comprendre ce verre transparent qui barrait son chemin. Est-ce que les renards volants manquaient du radar et de l'agilité dont disposaient leurs plus frêles cousines, ce qui les condamnait à trouver la mort contre les nouveaux immeubles de bureaux et les centres commerciaux de Lahore, des obstacles plus hauts qu'ils n'en avaient jamais vu ? Si c'est le cas, ils n'avaient bien sûr pas plus de chances de survivre à New York, ni même à Manille, d'ailleurs !

Je me rappelle mon état d'exaltation à mon arrivée aux Philippines pour ma première mission Underwood Samson. Nous avions voyagé en première classe. Je n'oublierai jamais l'impression que j'ai eue en me laissant aller dans mon siège, vêtu d'un coûteux complet, pendant qu'une séduisante hôtesse de l'air – séduisante et… *séductrice*, ai-je été assez effronté pour penser ! – me servait du champagne : à mes yeux, j'étais un véritable James Bond, mais en plus jeune, plus basané et peut-être mieux payé. Comme c'est étrange, de repenser à l'autosatisfaction qui était alors la mienne et qui allait si vite se dissiper !

Mais j'anticipe sur mon récit, là. Je voulais vous parler de Manille. Avez-vous visité l'Extrême-Orient, sir ?

Oui ! Vous avez décidément beaucoup voyagé, pour un Américain. Et même pour quelqu'un de n'importe quelle nationalité ! À ce propos, j'avoue que je suis toujours plus intrigué par ce qui vous a amené et vous amène encore à parcourir le monde, la véritable nature des *affaires* dont vous vous occupez, mais je suis certain que vous m'en parlerez lorsque vous jugerez nécessaire de le faire. Pour l'instant, vous préférez me laisser la parole, si je ne me trompe ? Puisque vous connaissez l'Orient, donc, point n'est besoin de vous rappeler les prodigieuses transformations que cette partie de la planète a récemment connues. Moi qui m'attendais à ce que Manille soit très comparable à Lahore, ou disons Karachi, j'ai découvert une apothéose de gratte-ciel et d'échangeurs routiers. Certes, la capitale philippine a elle aussi ses bidonvilles que l'on peut apercevoir pendant le trajet en taxi de l'aéroport au centre, territoires vacants dans lesquels des hommes en sous-vêtements crasseux paressent devant d'innombrables ateliers de réparation automobile, telle une version plus déprimée de l'Amérique des années 1950 que nous ont dépeinte des films comme *Grease.* Mais les immeubles étincelants de Manille, et les enclaves de prospérité dans lesquelles les riches se protègent derrière de hautes murailles, ne ressemblaient à rien de ce que j'avais connu au Pakistan.

Je n'ai pas voulu insister sur cette comparaison : il m'avait été déjà assez difficile d'accepter que New York soit mille fois plus prospère que Lahore pour reconnaître sans rechigner la supériorité de Manille sur ce plan aussi. J'étais comme le coureur de fond convaincu d'être en excellente position jusqu'à ce qu'il se rende compte que le concurrent qui le talonne n'est pas le meneur du peloton, comme il le croyait, mais l'un des condamnés à la lanterne rouge. C'est peut-être pour cette raison que je me suis comporté à Manille comme cela ne m'était encore jamais arrivé : je me suis efforcé de bouger, de m'exprimer, de réagir en Américain. De *faire l'Américain*, si j'ose dire. Les Philippins avec qui nous travaillions avaient l'air intimidés par mes collègues venus des États-Unis, les reconnaissant quasi instinctivement comme les officiers supérieurs dans l'armée de l'économie mondiale ; eh bien, je tenais à avoir ma part de respect, moi aussi !

J'ai donc appris à dire à des cadres qui avaient l'âge de mon père : « Je veux ceci ou cela *tout de suite !* », à me jouer des frontières culturelles et sociales avec un sourire extraterritorial, à répondre « New York » quand on me demandait d'où j'étais. Vous vous demandez si cette attitude ne me gênait pas ? Mais oui, sir, et beaucoup. En mon for intérieur, j'étais souvent honteux mais je me gardais bien de le montrer. D'ailleurs, n'avais-je pas amplement de quoi me sentir fier de moi, par exemple de ma prédisposition naturelle à ce travail, ou des louanges que m'adressaient sans cesse mes collègues ?

Comme je vous l'ai expliqué plus tôt, nous étions aux Philippines afin d'estimer la valeur d'une compagnie de production et de distribution musicales. Son patron avait été un chercheur de talents à la réputation légendaire ; les rares fois où il retirait ses lunettes de soleil, il révélait des yeux dont l'immense ingénuité trahissait une longue relation d'intimité avec le LSD et cependant, en dépit de ce passé haut en couleur, il avait été capable de signer de juteux contrats avec deux géants mondiaux du divertissement de masse, désireux de délocaliser la fabrication et la commercialisation de CD. Selon lui, son affaire était la plus importante du secteur dans tout le Sud-Est asiatique, et ne cessait de renforcer ses positions malgré les défis posés par le piratage, le téléchargement sur Internet et la compétition chinoise.

L'évaluation nous a demandé un mois de travail intense. Nous avons interrogé fournisseurs, employés, experts en tout genre, passé des heures en entretiens confidentiels avec comptables et avocats, accumulé des gigaoctets de données, comparé les indicateurs de performance avec divers référentiels et finalement élaboré un modèle financier ultra-complexe, avec un nombre infini de variables. Même si je restais très souvent devant mon ordinateur, j'ai également visité la chaîne de production, ainsi que plusieurs magasins de disques. Ces sorties sur le terrain me donnaient une extraordinaire sensation de puissance : après tout, mes collègues et moi définissions ce que serait l'avenir de l'entreprise. Est-ce que ces salariés allaient être licenciés ? Est-ce que ces disques finiraient par être fabriqués ailleurs ? De façon indirecte, certes, nous allions aider à prendre toutes ces décisions.

À certains moments, pourtant, l'expérience était déstabilisante. Je me souviens notamment du jour où je me trouvais avec mes collègues en limousine, bloqué dans un embouteillage monstre. Alors que je regardais distraitement par la vitre, mes yeux ont croisé ceux d'un conducteur de *jeepney*, l'un de ces bus typiquement philippins qui était arrêté tout près de nous. L'hostilité non déguisée que j'ai découverte en eux m'a sidéré. Nous n'avions jamais été en contact, j'en étais pratiquement certain, et il était probable que nous n'aurions plus jamais l'occasion de nous revoir, passé quelques minutes d'attente, mais son aversion était tellement criante, tellement… personnelle, que je me suis senti profondément atteint. Je lui ai rendu son regard, envahi par la colère à mon tour car vous avez sans doute remarqué, depuis que vous êtes ici, que les hommes de Lahore supportent mal qu'on les dévisage avec trop d'insistance. Et je n'ai pas détourné les yeux de lui jusqu'à ce qu'il soit obligé de revenir à ce qui se passait devant lui lorsque les voitures qui le précédaient ont redémarré.

J'ai tenté ensuite d'expliquer son attitude. Est-ce que sa femme venait de le quitter ? Était-il envieux de la position de privilégié que reflétaient mon costume et la luxueuse limousine dans laquelle je me trouvais ? Ou bien n'aimait-il pas les Américains, tout simplement ? Ces questions m'ont préoccupé beaucoup plus longtemps qu'il n'aurait fallu ; je me suis mis à échafauder des hypothèses qui, sans même que j'en aie eu conscience, partaient toutes de la même idée que lui et moi devions forcément avoir en commun une sorte, disons, de sensibilité tiers-mondiste ? Et puis l'un des collègues qui m'accompagnaient m'a adressé la parole, je me suis tourné vers lui et il s'est passé quelque chose d'étrange en moi. Je l'ai observé en silence, ses cheveux blonds, ses yeux clairs et surtout le zèle professionnel inscrit sur ses traits, qui le rendait aveugle à tout ce qui n'était pas lié à la routine de notre mission, et j'ai pensé qu'il avait l'air totalement, radicalement *étranger*. À ce moment, je me suis senti infiniment plus proche de ce chauffeur philippin que de mon compagnon ; j'ai eu l'impression que j'étais en train de jouer un rôle, qu'en réalité j'aurais dû être dans l'une de ces guimbardes qui nous entouraient, rentrant chez moi.

Bien entendu, je n'ai rien dit. Mais cette troublante succession d'idées – parce qu'il ne s'était rien passé, à proprement parler – m'a assez perturbé pour que j'aie du mal à trouver le sommeil, cette nuit-là. Heureusement, la charge de travail qui reposait sur nous ne me permettait pas de me laisser aller à l'insomnie : le lendemain, je n'ai pas quitté mon bureau avant deux heures du matin, et dès que je suis rentré à l'hôtel je me suis endormi comme un bébé.

Pendant tout mon séjour à Manille – arrivé fin juillet, je suis reparti à la mi-septembre –, mes seuls contacts non professionnels avec le reste du monde ont été mes appels téléphoniques hebdomadaires à Lahore pour parler à mes parents et ma correspondance électronique avec Erica à New York. En raison du décalage horaire, les messages qu'elle m'écrivait le matin arrivaient dans ma boîte de réception le soir, de sorte que j'attendais avec impatience le moment de les lire et d'y répondre avant de me mettre au lit. Ses e-mails étaient toujours courts, jamais plus d'un paragraphe ou deux, mais elle arrivait invariablement à exprimer beaucoup de choses en peu de mots. L'un d'eux, par exemple, était rédigé plus ou moins ainsi : « T., je suis dans les Hamptons. On était toute une bande à la plage, aujourd'hui, mais je suis allée me promener toute seule et j'ai trouvé une flaque laissée par la marée descendante dans les rochers. Tu les aimes, ces flaques ? Moi, elles me fascinent. Ce sont de minuscules univers parfaitement autosuffisants, parfaitement transparents, qu'on croirait arrêtés dans le temps. Et puis la mer revient, une vague se rompt sur elles et elles retrouvent une nouvelle vie, de nouveaux poissons. Enfin, quand j'ai retrouvé les autres, ils m'ont tous demandé où j'étais passée et c'est alors que je me suis rendu compte que j'avais passé l'après-midi tout entier dans les rochers. C'était presque… surnaturel. Ça m'a fait penser à toi. E. »

De tels messages suffisaient à me mettre d'excellente humeur pendant plusieurs jours. J'exagère leur effet, allez-vous objecter ? Vous devez comprendre qu'à Lahore, du moins au temps où j'étais lycéen – les jeunes Pakistanais d'aujourd'hui sont sans doute plus évolués, comme c'est partout le cas –, les amourettes de jeunesse passaient le plus souvent par le truchement de coups de téléphone en cachette, de billets transmis par des amis communs et des promesses de rencontres clandestines qui ne se réalisaient jamais. Les parents étaient sévères, en général, et des semaines entières pouvaient s'écouler sans que nous puissions voir celles que nous considérions comme nos petites amies. Ainsi avons-nous appris à *savourer* l'impossibilité de la satisfaction, ce plaisir inconcevable pour la mentalité américaine, et quant à moi je me satisfaisais plutôt bien de subsister avec un régime presque quotidien d'e-mails tels que celui que je viens de vous décrire. Mais j'étais évidemment très pressé de retrouver Erica en chair et en os, de sorte que c'est avec une joie certaine que j'ai vu notre mission toucher à sa fin.

Désireux d'entendre lui-même nos conclusions sur le terrain, Jim a fait le déplacement jusqu'à Manille. Il m'a offert un verre à notre hôtel, le Shangri-La Makati.

« Eh bien, Tchenguiz », a-t-il commencé en désignant d'un geste le décor raffiné dans lequel nous nous trouvions, « on s'habitue à tout ça ?

— Tout à fait, sir.

— Tout le monde dit le plus grand bien de vous », a-t-il affirmé. Ayant attendu ma réaction et vu le sourire qui m'était venu, il a poursuivi : « Mais on dit aussi que vous travaillez trop. Il ne faut quand même pas que vous vous tuiez à la tâche, hein ?

— Permettez-moi de vous rassurer sur ce point, sir : je prends plus de repos qu'il n'en faut. »

Un sourcil levé, il m'a considéré un instant avant de se mettre à rire.

« Vous me plaisez, vous savez ? Franchement. Je ne baratine pas dans le style "un petit mot gentil pour soigner le moral de notre jeune ami". Vous êtes un requin, Tchenguiz. Dans ma bouche, c'est un compliment. C'est comme ça qu'on m'a surnommé, quand je suis entré dans la boîte. Un requin. Je n'ai jamais arrêté de nager, et je n'ai jamais montré mon jeu, jamais laissé transparaître que je me sentais être un outsider. Exactement comme vous. »

Ce n'était pas la première fois que Jim s'adressait à moi de cette manière, et comme toujours je n'ai pas été certain de l'attitude qu'il convenait d'adopter. Un aveu qui vise à inclure celui à qui on le fait est, pour reprendre un terme de cricket, une balle diablement difficile à récupérer : si vous prenez vos distances, vous froissez son auteur, mais l'accepter revient à reconnaître votre culpabilité. C'est pourquoi je me suis informé prudemment : « Pourquoi un outsider ? »

Il a souri à nouveau comme s'il lisait chacune de mes pensées.

« Parce que j'ai commencé de l'autre côté de la barrière. Pendant la moitié de ma vie, j'ai été le gosse qui regarde la vitrine du confiseur, pas celui qui entre dans le magasin. Et en Amérique, si pauvre qu'on soit, on a toujours la télé pour voir ce qui se passe chez les nantis. Mais nous, ma famille, on était les derniers parmi les pauvres, en plus. Mon père est mort de la gangrène, c'est vous dire ! Donc je pige bien l'ironie qu'il y a à claquer cent dollars pour une bouteille de jus de raisin fermenté, si vous me suivez. »

J'ai médité ses paroles. Comme je vous l'ai déjà confié, je n'ai pas grandi dans le dénuement, moi, et pourtant j'ai connu *l'envie* qui étreint l'enfant pauvre, dans mon cas non pour ce que ma famille n'avait jamais eu mais pour ce que nous avions possédé jadis, et perdu. Certains membres de ma famille se raccrochaient à des souvenirs fantasmés de la même façon qu'un sans-abri peut se raccrocher à un billet de loterie. J'oserai dire qu'ils se shootaient à la *nostalgie* et que toute mon enfance a été hantée par les conséquences de leur dépendance à cette drogue, dettes vertigineuses, querelles venimeuses autour d'héritages, parfois même perdition dans l'alcoolisme, voire suicide. C'est sur ce plan que nous nous ressemblions en effet, Jim et moi : il avait été un gamin planté devant la vitrine du confiseur, j'en avais été un qui était resté sur le pas de la porte de la boutique, soudain claquée alors que j'allais entrer.

Même quand nous avons été rejoints au bar par d'autres consultants de l'équipe, Jim a gardé son bras passé sur le dos de ma chaise, ce qui me donnait l'impression qu'il avait décidé, presque littéralement, de me prendre sous son aile. C'était une agréable sensation, que ne diminuaient en rien la particulière déférence et les sourires aimables que lui réservaient les employés de l'hôtel, lesquels avaient instinctivement repéré en Jim un homme qui pesait lourd. Bien qu'étant le seul non-Américain du groupe, je supposais que ma *pakistanité* demeurait invisible, cachée par mon costume, par ma vie sur notes de frais et, surtout, par ceux qui m'accompagnaient.

Et pourtant… Non, il faut que je m'interrompe ici, car j'imagine que vous allez être choqué par ce que je m'apprêtais à ajouter et qu'une mise en garde est donc nécessaire avant que j'y arrive. De plus, j'ai la gorge très sèche, brusquement. Il n'y a plus du tout de brise, semble-t-il, et il continue à faire plutôt chaud, même si la nuit est tombée. Aimeriez-vous une autre boisson fraîche ? Non ? Vous dites que vous êtes pressé d'entendre la suite ? Très bien. Permettez-moi de faire signe au serveur pour qu'il m'apporte à boire. Voilà. Et tenez, le voici déjà qui se précipite vers notre table ! On croirait que nous sommes ses seuls clients ! Ah, quel délice ! C'est exactement ce dont j'avais besoin.

Le soir suivant, donc, devait être le dernier que nous passerions à Manille. J'étais dans ma chambre, préparant mes valises. À un moment, j'ai allumé la télévision et je suis tombé sur ce que j'ai d'abord pris pour un film. En regardant un peu plus, cependant, j'ai compris que j'avais devant moi non une œuvre de fiction mais une bande d'actualités. Les yeux écarquillés, j'ai vu l'une des tours jumelles du World Trade Center de New York s'effondrer, puis l'autre. Et là… j'ai *souri.* Oui, si révoltant que cela puisse paraître, ma réaction initiale a été une remarquable satisfaction.

Votre indignation est très visible. Peut-être à votre insu, l'une de vos robustes mains s'est serrée en poing. Je vous prie néanmoins de bien vouloir me croire quand je vous affirme que je ne suis aucunement un être asocial, une brute insensible à la souffrance d'autrui. Lorsque j'apprends que l'une de mes connaissances vient de se voir diagnostiquer une maladie grave, j'éprouve quasi immanquablement une peine physique, une douleur dans les reins assez vive pour me faire tressaillir. Chaque fois que je suis sollicité pour une cause charitable, je suis enclin à apporter ma contribution, du moins dans les limites de mes modestes moyens financiers. Si je vous confie que le massacre de milliers d'innocents a éveillé en moi de la satisfaction, donc, vous comprendrez que c'est avec une profonde perplexité que je l'admets.

C'est que, sur le moment, mes pensées ne sont pas allées aux *victimes* de l'attaque. À la télévision, la mort m'émeut avant tout quand elle n'est pas réelle, quand elle frappe des personnages fictifs, certes, mais avec lesquels j'avais tissé des relations à la faveur de plusieurs épisodes de feuilleton. Non, c'est le *symbole* porté par ces images qui m'a atteint : le fait que quelqu'un ait mis l'Amérique à genoux, et d'une façon aussi spectaculaire. Ah, mais je vois que mon explication a seulement réussi à décupler votre écœurement. Je le comprends fort bien, d'ailleurs. Il est toujours odieux d'entendre quelqu'un se réjouir d'un malheur survenu à sa propre patrie. Mais conviendrez-vous que vous ne pouvez pas échapper entièrement à ce genre d'émotions, vous-même ? N'exultez-vous pas à la vue de ces documents vidéo, si courants de nos jours, qui montrent des bombes américaines réduire en poussière les infrastructures de vos ennemis ?

Mais c'est que vous êtes en guerre, dites-vous ! Oui, c'est un argument. Je n'étais pas en guerre avec l'Amérique, moi. Tout le contraire, même : j'étais un produit du système universitaire américain, je gagnais un confortable salaire américain, j'étais en train de tomber amoureux d'une jeune femme américaine – alors, pourquoi une partie de moi désirait-elle voir ce pays souffrir? Je n'en avais pas la moindre idée, à l'époque. Tout ce que je savais, c'était que mes collègues n'auraient jamais pu tolérer mes sentiments et qu'il fallait donc les dissimuler de mon mieux. Et quand toute l'équipe s'est retrouvée dans la chambre de Jim plus tard, j'ai feint d'éprouver le même saisissement bouleversé que je voyais sur les visages autour de moi.

En les entendant évoquer les êtres aimés qu'ils avaient laissés à New York, pourtant, j'ai pensé à Erica et je n'ai plus eu besoin de faire semblant. Bien sûr, je ne savais pas encore que la tuerie avait été circonscrite aux limites géographiques de ce qui allait être appelé par la suite le Ground Zero. J'ignorais également qu'Erica était en sûreté chez elle au moment où les attaques avaient eu lieu. J'ai presque été soulagé de m'inquiéter pour elle et de ne pas arriver à trouver le sommeil : cela me permettait de partager l'anxiété de mes collègues, et de refouler pendant un temps le plaisir qui m'avait tout d'abord assailli.

Comme tous les vols pour l'Amérique avaient été suspendus, nous n'avons pu quitter Manille avant plusieurs jours. À l'aéroport, des gardes armés m'ont fait entrer dans une pièce où j'ai dû me déshabiller et ne rester qu'en caleçon – celui que je portais était hélas rose, et décoré d'oursons en peluche, détail plutôt embarrassant qui n'a cependant pas déridé les responsables de l'inspection. Du coup, j'ai été le dernier à embarquer et mon apparition dans la cabine a provoqué maints coups d'œil inquiets parmi les passagers. Le vol de retour n'a pas du tout été agréable : conscient d'être soudain devenu un objet de soupçon, je me sentais coupable, ce qui me poussait à prendre des airs aussi nonchalants que possible, et naturellement me rendait encore plus raide et mal à l'aise. Jim, qui était assis à côté de moi, m'a demandé plusieurs fois si je me sentais bien.

À l'arrivée, j'ai dû me séparer du reste de l'équipe pour passer le filtre d'immigration : ils ont rejoint la file d'attente des citoyens américains, moi celle réservée aux étrangers. J'ai tendu mon passeport à une femme solidement bâtie qui portait revolver à la ceinture et dont la maîtrise de la langue anglaise était inférieure à la mienne. J'ai tenté, vainement, de l'amadouer avec un sourire.

« Quel est le but de votre visite aux États-Unis ? m'a-t-elle demandé.

— Je *vis* ici !

— Ce n'est pas ce que je vous ai demandé. Quel est le *but* de votre visite aux États-Unis ? »

Notre échange a continué de cette manière pendant plusieurs minutes. Finalement, elle m'a envoyé à la salle des contrôles additionnels, où j'ai pris place sur un banc en métal, coude à coude avec un bonhomme tatoué auquel on avait passé des menottes. Mes collègues ne m'ont pas attendu ; quand j'ai pu atteindre la zone douanière, ils avaient déjà récupéré leurs bagages et ils étaient partis. Ce soir-là, je me suis senti extrêmement seul en regagnant Manhattan.

Vous avez sursauté, encore. Ah, oui, les chauves-souris ! Elles volent très bas mais elles ne nous toucheront pas, sur ce point je peux vous rassurer. Comment ?

Vous le saviez ? D'accord ! Pourquoi adopter un ton aussi coupant, cependant ? Je vois que je vous ai heurté, voire *irrité*, mais j'ai comme l'idée que je ne vous ai pas véritablement *étonné*. Le nierez-vous ? Non ? Eh bien, voilà qui n'est pas sans intérêt pour moi, je vous l'avoue, parce que, même si nous ne nous sommes rencontrés qu'aujourd'hui, vous paraissez connaître au moins quelque chose à mon sujet. Peut-être est-ce mon apparence, ma barbe fournie, qui vous a amené à tirer certaines conclusions ? Ou tout simplement que vous avez suivi la courbe de mon récit avec l'œil exceptionnellement sûr d'un tireur de pigeons ? Ou bien... Mais assez de vaines spéculations ! Jetons plutôt un coup d'œil au menu de cet établissement. J'ai tant parlé que j'en ai négligé les devoirs d'hospitalité qui m'incombent, je le crains. Et puis, c'est sur *votre* compte que j'espère en apprendre plus, maintenant : ce qui vous a amené à Lahore, la compagnie pour laquelle vous travaillez, et ainsi de suite. La nuit s'épaissit autour de nous, et malgré les lampions suspendus au-dessus de cette place votre visage reste dans l'ombre. Puisque nos yeux ne sont plus qu'un faible recours, faisons comme les chauves-souris, voulez-vous ? Utilisons nos autres sens ! Et vos oreilles doivent désormais être fatiguées d'avoir tant écouté. Le moment est donc venu d'employer votre langue, pour la fonction du goût mais aussi parce que j'espère être en mesure de vous convaincre de parler, à votre tour !

6

Je vous vois hésiter, sir, mais mon intention n'était pas de vous mettre sur la sellette. Si vous n'êtes pas encore prêt à révéler le *but* de votre visite ici, et certes votre allure ne laisse guère supposer que vous soyez un touriste parcourant cette partie du monde sans raison particulière, je n'insisterai pas. Ah, vous levez la tête, vos narines palpitent, vous avez détecté une odeur ! Rien ne vous échappe, décidément ! Vos sens sont aussi aiguisés que ceux d'un renard dans les bois. Très agréable parfum, n'est-ce pas ? Oui, vous avez bien deviné, c'est celui du jasmin. Il nous parvient de la table d'à côté, et je lis dans votre regard que vous l'avez déjà compris ; celle où une famille vient de s'installer pour dîner.

Quel contraste entre la pâleur de ces fleurs délicates patiemment montées en bracelet et la peau sombre du bras de cette femme ! Et quel contraste, encore, celui qui oppose la subtilité de leur parfum à l'odeur entêtante de la viande grillée ! N'est-il pas remarquable que nous autres, les êtres humains, soyons capables de nous enivrer de l'appel sensuel lancé par une fleur alors que nous sommes environnés de carcasses grillées d'animaux, nos semblables ? Mais c'est que nous sommes des créatures très particulières, en vérité, et il appartient peut-être à la nature même de notre inconscient de reconnaître la relation fondamentale entre mortalité et procréation, c'est-à-dire entre le fini et l'infini, d'assumer que tout ce qui nous rappelle la première nous pousse à désirer encore plus la seconde.

Je me rappelle le jour où j'avais été chargé d'acheter une montagne de ces mêmes guirlandes de jasmin, à l'occasion du décès de ma grand-mère maternelle. J'avais seize ans, à l'époque, et j'étais l'heureux possesseur d'un permis de conducteur débutant, falsifié, qui avait appartenu à mon frère. M'asseoir au volant d'une automobile était une telle source de bonheur pour moi que mes parents me confiaient souvent des courses qui seraient normalement revenues à notre chauffeur. Bien qu'entretenue avec amour, notre Toyota Corolla n'était plus dans sa prime jeunesse et elle avait donc tendance à surchauffer, ce qui s'est encore produit cette fois-là. Jusqu'à aujourd'hui, je garde en moi le parfum affolant des fleurs blanches entassées sur mes bras quand j'ai laissé la voiture et que je suis entré au cimetière, en nage sous le soleil.

New York aussi était en deuil après la destruction du World Trade Center. Des arrangements floraux s'épanouissaient sur tous les autels dédiés aux victimes et aux personnes disparues qui s'étaient multipliés dans la ville en mon absence. Ils attiraient souvent mon regard lorsque je déambulais à pied, ces assemblages de photos, de bouquets, de chandelles, de messages de condoléances apparus au coin des rues, devant les magasins, le long des grilles de jardins publics. Ils ne faisaient que trop me rappeler ma réaction peu charitable – et même inhumaine – juste après la tragédie, et il me semblait entendre un constant murmure de reproche monter d'eux.

La réprobation pouvait prendre des formes nettement moins discrètes, et c'est ainsi que votre emblème national a littéralement envahi New York dans les semaines qui ont suivi le drame. La bannière étoilée était partout : petits drapeaux en papier montés sur des cure-dents dans les chapelles ardentes improvisées, autocollants apposés sur les pare-brise et les carrosseries, énormes étendards flottant sur les toits d'immeubles. Tous paraissaient proclamer : « Nous sommes l'Amérique ! », mais non New York, qui d'après moi renvoie à tout autre chose. « Nous sommes l'Amérique, la plus puissante civilisation que le monde ait connue ! Vous nous avez agressés, prenez garde à notre colère ! » Les yeux levés sur les immenses tours de la ville, je me demandais quelle sorte de horde punitive allait jaillir d'un si formidable château.

C'est dans un tel contexte que j'ai revu Erica. Un mois et demi s'était écoulé depuis notre après-midi à Central Park. Quand je lui ai téléphoné, je m'attendais à ce qu'elle ait eu d'autres plans déjà fixés mais elle m'a proposé de me retrouver le soir même, mon premier soir à New York après une journée de travail complète. Je l'attendais sur le trottoir lorsqu'elle est descendue de son taxi. Une odeur désagréable s'attardait toujours dans l'air, venue des décombres encore fumants à l'extrémité sud de la péninsule, et pénétrait nos poumons. Ses lèvres étaient pâles, comme si elle n'avait pas assez dormi, ou trop pleuré, peut-être.

L'espace d'un instant, je me suis dit qu'elle semblait plus mûre, plus élégante, qu'il lui était venu la nuance de beauté que seul l'âge confère aux femmes, et j'ai imaginé que c'était là un aperçu de ce qu'Erica serait un jour. Une future reine, sans aucun doute !

« Ma mère dit que nous devrions peut-être partir d'ici un moment, m'a-t-elle confié pendant le dîner. Habiter dans les Hamptons. Je lui ai dit que c'était la dernière chose que je voulais, quitter cette ville. Et que je ne pouvais pas rester seule. Cet attentat a réveillé plein de vieilles idées noires dans ma tête. »

J'ai opiné du bonnet mais je n'ai rien répondu. C'était comme si nous nous étions retrouvés lors d'un enterrement : dans ce cas, on ne sait jamais ce qu'il faut dire ou ne pas dire aux proches du défunt. Elle a continué :

« Je n'arrête pas de penser à Chris. J'ignore pourquoi. Certains soirs, je dois prendre des cachets pour dormir. J'ai l'impression d'avoir été ramenée un an en arrière. » J'ai dû prendre un air préoccupé car elle s'est hâtée de sourire et d'ajouter : « Ce n'est pas si terrible que ça, quand même ! Je n'ai pas perdu l'appétit, ni la raison, mais je me sens… hantée, tu comprends ? »

J'ai considéré quelques secondes les mots qu'elle avait employés, puis :

« J'ai une tante qui, de toutes les sœurs de ma mère, était la plus belle. Elle a eu un mariage arrangé et donc elle n'a vu son futur mari que très peu de fois avant la cérémonie. Il était pilote de chasse, lui. Il est mort trois mois après. Elle ne s'est jamais remariée. Elle a dit qu'il avait été l'amour de sa vie. »

Erica a paru à la fois touchée et troublée par mon histoire. Se penchant vers moi, elle a demandé :

« Et comment est-elle, maintenant ?

— Folle. Folle comme un lapin. »

Elle m'a dévisagé un instant avant de partir d'un grand éclat de rire où se mêlaient la surprise et le ravissement. Une fois son calme retrouvé, elle a posé sa main sur la mienne et elle a dit :

« Tu m'as manqué, tu sais. C'est super, que tu sois de retour. »

J'aurais voulu mêler mes doigts aux siens ; à la place, je suis resté complètement immobile, comme si je craignais que le moindre mouvement puisse contrarier ce moment d'intimité.

« Elle est vraiment folle ? » a-t-elle insisté en arquant un sourcil et en imitant la façon dont j'avais prononcé le mot.

« Oui, j'en ai bien peur, ai-je répondu avec une componction ironique. Complètement dérangée. »

Cela l'a fait sourire. Elle a proposé que nous commandions une seconde bouteille de vin et nous sommes restés à notre table jusqu'à l'heure de la fermeture du restaurant. Plaisamment éméchés, nous avons décidé de marcher un peu.

« J'aime beaucoup quand tu parles de ton pays, a-t-elle annoncé en passant son bras sous le mien. Tu deviens tellement *animé.* »

Si je ne lui ai pas fait remarquer que c'était ce qui se produisait aussi chaque fois qu'elle évoquait la mémoire de Chris, c'est parce que ce constat éveillait en moi des sentiments contradictoires : d'un côté, étant son ami, je me réjouissais de la voir se passionner autant, et je comprenais également que ses confidences à ce sujet étaient une preuve d'affection à mon égard, d'autant que je ne l'avais jamais vue faire allusion à

Chris devant quiconque à part moi ; de l'autre, comme la relation que j'espérais établir avec elle allait plus loin que l'amitié, l'attachement à ce garçon qu'elle continuait à exprimer le transformait potentiellement en rival qui n'était plus de ce monde, certes, mais contre lequel j'avais peur de ne jamais pouvoir triompher. Par bien des aspects, la tante dont je lui avais parlé était fort différente d'Erica : elle était grassouillette, ne se déplaçait qu'en scooter, portait un sac à dos le plus souvent bourré de friandises destinées à ses plus jeunes neveux et nièces, et survivait grâce à sa très modeste pension de veuve. Mais c'était ma tante à quarante-cinq ans ; la femme de vingt-deux ans que j'avais vue sur les photographies, fixant l'objectif d'un regard espiègle, semblait dangereusement séduisante et très sûre d'elle-même. Je n'imaginais que trop bien combien de soupirants elle avait dû éconduire dans sa jeunesse et j'étais obligé de me demander si mon attirance pour Erica ne finirait pas sur le même fiasco.

Erica semblait soudain très détendue, au point de réprimer un bâillement et de laisser aller sa tête sur mon épaule, mais au début de la soirée elle avait été incontestablement nerveuse, inquiète, comme accablée par un poids trop pesant. À l'instar de nombre de New-Yorkais, son comportement trahissait une profonde angoisse mais celle-ci ne paraissait pas directement liée, chez elle, à la crainte d'être victime des terroristes : ainsi qu'elle l'avait dit elle-même, l'attentat avait « réveillé de vieilles idées noires » qui dormaient dans son cerveau tels les sédiments au fond d'un étang, et les eaux de son esprit étaient maintenant troublées par la vase de tout ce refoulé. Je ne savais pas si l'effet avait été le même sur moi.

Nous avons vagabondé dans la nuit sans parler, jusqu'à ce qu'un heureux hasard – non, je ne suis pas honnête, là : le hasard n'avait rien à voir là-dedans ! – jusqu'à ce que nous nous retrouvions devant l'entrée de mon immeuble. « Je peux monter ? a-t-elle demandé. Je voudrais voir où tu vis. » Tandis que nous gravissions les marches – et il y en avait beaucoup, comme vous pouvez l'imaginer, puisque mon studio se trouvait au quatrième –, j'ai entendu mon cœur battre plus fort. Je me demandais avec une certaine appréhension ce qu'elle allait penser de ma garçonnière, si modeste en comparaison de l'appartement de ses parents, mais je me suis rassuré en me convainquant qu'elle avait un charme bohème, *littéraire.* De fait, elle a lancé un « Génial ! » en s'asseyant au bord de mon canapé-lit, que j'avais laissé ouvert en sortant le matin.

Se laissant aller sur un coude, elle a fermé les yeux et elle a eu un sourire assoupi, comme une petite fille qui a sommeil et se sent en confiance. Comme ma vessie menaçait d'éclater, je l'ai priée de m'excuser un instant avant de me ruer aux toilettes. À mon retour, je l'ai trouvée endormie. « Erica ? » ai-je appelé doucement. Pas de réaction. Ne sachant que faire, j'ai hésité un instant avant d'éteindre la lumière. Les stores étant relevés, la lueur de Manhattan entrait dans la pièce. J'ai contemplé la palpitation régulière de sa poitrine à chacune de ses respirations, puis j'ai posé un drap sur elle et j'ai jeté un coussin par terre pour ma tête. J'étais épuisé, et qui plus est en proie au décalage horaire, mais il m'a fallu attendre longtemps avant d'être emporté par les rêves. Le lendemain matin, je ne me suis pas réveillé quand elle a déposé un baiser sur mon front avant de s'en aller, ainsi qu'elle allait me l'apprendre par la suite. Et…

Regardez ! Un vendeur de fleurs s'approche. Je vais l'appeler à notre table. Non ? Vous n'êtes pas d'humeur ? Allons, une seule rangée de jasmin, vous ne pouvez pas refuser ! Tenez, prenez-les dans votre main. Ne croirait-on pas de petites balles de velours, au toucher ? Comment ? Plutôt des crevettes soufflées, avez-vous dit ? Eh, quel cabotin vous faites ! J'ai cru que vous parliez sérieusement, un instant ! Mais vous avez réussi à me rappeler un délice absolument introuvable à Lahore, puisque nous sommes si loin de la mer. Que ne donnerais-je pas pour une ration de ces crevettes soufflées si populaires en Amérique, frites jusqu'à ce que la mince couche de pâte ait viré à un délicieux brun doré, et vendues avec un sachet de sauce tomate épicée ! Il va falloir que je me contente de ces fleurs, à la place, si rares à New York et si communes ici.

Où en étais-je ? Oui, ma relation avec Erica à mon retour des Philippines. Après cette nuit passée dans mon appartement, donc, elle a commencé à m'inviter avec une très agréable assiduité, me proposant de l'accompagner à des concerts de bienfaisance destinés à collecter des fonds pour les familles des victimes du World Trade Center, à des dîners chez ses amis – et quand je dis *chez*, je ne parle pas d'appartements mais de maisons, ces demeures de ville possédées par les familles les plus riches, épargnées par le temps et isolées comme des îlots au sein d'une mer de spéculation immobilière –, à des premières, des vernissages ou des expositions réservés aux mécènes les plus avertis. Je suis devenu ainsi son cavalier officiel dans un grand nombre d'activités réservées à la bonne société new-yorkaise.

Ce rôle me plaisait, assurément. J'étais assez imbu de moi-même pour penser que c'était ce à quoi toute ma vie m'avait préparé, qu'il n'était finalement pas étonnant que j'en sois venu à côtoyer la crème d'une ville unique au monde. Erica était la preuve vivante que j'étais digne d'intérêt, puisqu'elle s'intéressait à moi, l'aisance avec laquelle j'évoluais dans ce monde témoignait de l'excellente éducation que j'avais reçue, et pour ceux qui auraient voulu d'autres recommandations il y avait mon diplôme de Princeton et ma carte de visite au logo d'Underwood Samson, deux références qui me valaient aussitôt des signes de tête respectueux.

En y repensant maintenant, je discerne une sorte de symétrie dans mon parcours : j'avais l'impression de rejoindre à New York le même niveau social que ma famille avait commencé à perdre à Lahore. Cette idée sous-jacente inspirait sans doute une bonne part de la satisfaction – voire de la consolation – que je tirais de mon nouvel univers, mais je dois dire que mon bonheur, en ce temps-là, était surtout dû à la fréquentation régulière d'Erica. J'étais capable de la contempler pendant des heures, et je n'exagère pas ; la fierté de son maintien, la finesse musclée de ses bras et de ses épaules, l'inaptitude de ses habits à me dissimuler la mémoire de ses seins nus aperçus en Grèce, tout en elle me remplissait de désir.

Mais je ne me contentais pas de la vouloir : je voulais aussi sincèrement la protéger. Souvent, alors que nous étions debout ou assis parmi une compagnie des plus choisies, je remarquais comme elle semblait lointaine, perdue dans ses pensées. Ses yeux ne fixaient plus ceux qui lui parlaient, et l'impact de leurs mots ne se reflétait qu'indirectement sur ses traits, telle l'ombre des nuages filant à la surface d'un lac. Lorsqu'on lui faisait remarquer qu'elle paraissait absente, elle reconnaissait volontiers en souriant qu'elle avait en effet « un peu décroché », un état coutumier chez elle, et pourtant j'en étais venu à penser qu'il ne s'agissait pas là des moments d'inattention qui surviennent aux caractères distraits. Non, c'était bien plus grave : elle luttait contre un courant puissant qui l'entraînait à l'intérieur d'elle-même, et dans son sourire se lisait la crainte qu'elle puisse descendre trop bas, se retrouver prisonnière de ses propres abysses, et suffoquer. En de pareils moments, j'aurais souhaité être son ancre, mais sans avoir l'indélicatesse de lui faire comprendre qu'elle aurait en effet besoin de quelqu'un qui occupe cette fonction. J'avais découvert que le meilleur moyen de l'arrêter dans sa dérive était de l'approcher sans la toucher – par exemple de poser ma main sur la table aussi près que possible de la sienne, en évitant le contact – puis d'attendre qu'elle prenne conscience de la proximité physique, cet instant où elle secouait la tête comme si elle émergeait d'un rêve et où elle jetait un pont entre nous par une rapide caresse.

C'est peut-être ce désir de la protéger qui m'interdisait d'essayer de l'embrasser, surtout s'il se combinait à la timidité et au respect qui entourent un premier amour. Quoi qu'il en soit, plusieurs semaines se sont écoulées ainsi jusqu'à un soir où, alors que ses amis hélaient des taxis et commençaient à s'en aller après un dîner dans un restaurant birman du Village, Erica m'a attiré de côté.

« J'ai quelque chose à te dire, a-t-elle chuchoté. Quelque chose que je veux fêter.

— Quoi ?

— Eh bien », les mains réunies devant elle, elle a eu un sourire resplendissant, « j'ai un agent ! »

Elle m'a expliqué que ses premiers envois du manuscrit à l'aveuglette n'ayant rien donné, elle l'avait récemment confié à un jeune agent littéraire qui représentait un ami de sa famille et qui lui avait communiqué son accord quelques heures auparavant. Son unique objection avait été la taille du livre – les romans-nouvelles étant selon lui des bestioles impossibles –, mais après réflexion il s'était dit qu'il pourrait le présenter à des éditeurs avec de solides arguments. Après l'avoir félicitée, je lui ai affirmé que j'étais prêt à l'accompagner dans toutes les festivités qu'elle jugerait opportunes, même les plus inattendues. Elle a suggéré que nous fassions l'emplette d'un magnum de champagne et que nous allions à mon appartement, qui était tout près de là.

Comme cette proposition semblait la plus naturelle du monde, dans sa bouche, j'ai souri et approuvé du chef en essayant de paraître aussi décontracté. Cependant, je crois ne pas me tromper en indiquant qu'une certaine *gravité* était apparue dans notre comportement respectif ; en ce qui me concerne, par exemple, j'ai fait preuve d'une maladresse surprenante en fouillant mes poches de pantalon, une première fois quand j'ai cherché de l'argent pour payer la bouteille et la seconde sur mon palier, pour sortir mes clés.

C'était un soir d'octobre frisquet et Erica s'était habillée chaudement. Elle a entrepris de retirer des couches de vêtements superposées, en commençant par son gilet molletonné et son sweater en coton, pour rester dans sa tenue préférée, à savoir jean et tee-shirt. N'ayant pas de bougies, j'ai allumé la télévision avec le son coupé, plongeant ainsi la pièce dans une faible lumière tremblotante. Nous avons bu le champagne dans des coupes en argent ciselé, cadeau de l'un de mes oncles à ma sortie de Princeton, ce qui lui donnait un goût métallique mais non désagréable, et plutôt dépaysant.

« Je me suis fait amocher à ma séance de taekwondo, aujourd'hui, m'a soudain informé Erica. L'entraîneur m'avait mise face à une fille qui est super-rapide. Elle m'a attrapée juste sous l'aisselle. Là… », elle a porté une main à son flanc. « Je le sens chaque fois que je respire. Un bleu impressionnant. » Elle m'a regardé. À travers mon pantalon, je suivais du doigt la cicatrice de mon opération au genou. Erica a poursuivi : « Tu veux le voir ? »

Je l'ai dévisagée, me demandant si elle ne plaisantait pas. Comme elle n'en avait pas l'air, j'ai fait oui de la tête car je ne me fiais pas à ma voix, pour l'instant. Je m'attendais à ce qu'elle soulève son tee-shirt de côté mais non, elle l'a carrément retiré avant de lever un bras. Je ne pouvais pas détacher mes yeux d'elle. Je l'avais déjà vue en bikini, et même topless, mais là, en soutien-gorge sur mon canapé-lit, elle ne m'avait jamais semblé aussi nue. Son corps, qui avait perdu son bronzage, avait l'air presque bleu dans les reflets de la télévision, et encore plus athlétique que je me le rappelais. Elle paraissait venue d'un autre monde, ou sortie d'une bande dessinée pour adultes. Je me suis obligé à me concentrer sur sa contusion, une tache furieusement sombre en haut de sa cage thoracique, coupée en deux par la lanière du soutien-gorge.

Sans réfléchir, j'ai tendu la main en avant, puis hésité. Elle m'a regardé plus attentivement, mais sans changer d'expression, et donc j'ai posé mes doigts sur la blessure. Elle a passé l'avant-bras derrière sa tête tandis que je suivais la ligne de sa côte. J'ai senti sa peau tourner à la chair de poule. Je l'ai attirée contre moi, l'ai serrée doucement. Je l'ai embrassée, d'abord sur le front, puis sur les lèvres. Elle n'a pas réagi. N'a pas résisté quand j'ai entrepris de la déshabiller. Je sentais parfois ses mains me toucher, ou je surprenais un soupir presque imperceptible qui lui avait échappé, mais pour l'essentiel elle restait silencieuse, immobile. Mon désir était si fort que j'ai poursuivi, même si sa passivité était une atteinte à mon honneur de plus en plus difficile à surmonter. La pénétrer a été une tâche ardue, car elle ne manifestait aucun signe d'excitation. Quand j'ai été en elle, elle n'a rien dit mais son inconfort était tellement patent que je me suis arrêté de moi-même.

« Je suis désolée, a-t-elle murmuré.

— Non, c'est moi qui suis désolé. Tu n'aimes pas, alors ?

— Je... Je ne sais pas. » Pour la première fois en ma présence, ses yeux se sont emplis de larmes. « Je n'arrive pas à mouiller. Je ne comprends pas ce qui ne va pas, chez moi. »

Pendant que je la gardais dans mes bras, elle m'a expliqué que j'étais le premier garçon avec lequel elle couchait depuis Chris. Et même le seul *à part* Chris. Après sa mort, la vie sexuelle d'Erica s'était arrêtée ; elle n'avait atteint l'orgasme qu'en une seule occasion, et là encore uniquement en pensant très fort à Chris.

Je n'ai su que dire. Voulant la consoler, l'accompagner dans les ténèbres de son âme pour qu'elle se sente enfin moins seule, je l'ai invitée à me parler de lui, de leur premier baiser, de la façon dont ils en étaient venus à faire l'amour. « Tu veux vraiment savoir ? » a-t-elle soufflé. J'ai dit que oui. Elle s'est mise à raconter.

Jusqu'alors, je n'avais eu que des aperçus de leur amour ; cette nuit-là, elle m'a donné la version complète. J'ai été étrangement touché par cette histoire, par les échos familiers qu'elle éveillait en moi, et j'ai compris par la suite que c'était à cause de l'émotion avec laquelle elle en parlait, de la même nature que celle qu'Erica m'inspirait. J'ai essayé de prendre du recul, de l'écouter comme si je ne continuais pas à brûler de désir pour elle, et de honte pour la manière dont son corps – mais non son esprit, selon elle – m'avait repoussé, et j'y suis parvenu à un point qui continue à m'étonner aujourd'hui. Si ce récit reste inscrit avec précision dans ma mémoire, je ne vais pas le rapporter maintenant. Je me contenterai d'indiquer que leur amour avait été d'une intensité peu commune et qu'il avait été si fusionnel qu'à la mort de Chris Erica avait eu l'impression qu'elle n'existait plus ; même aujourd'hui, m'a-t-elle confié, elle ne savait pas si elle arriverait à se retrouver. Quand elle parlait de lui, pourtant, sa voix reprenait de la force et je sentais ses membres nus contre moi perdre leur crispation. Peu à peu, la vie est revenue dans ses yeux : ils ne paraissaient plus ne regarder qu'à l'intérieur d'elle-même. Elle m'a demandé d'évoquer à mon tour mes expériences passées, ce qu'était la réalité amoureuse et sexuelle des adolescents pakistanais. Je lui ai dit que je n'avais pratiquement pas d'expérience sexuelle à mon arrivée en Amérique, et que mes toquades pour telle ou telle fille semblaient dérisoires, comparées à la passion qu'elle venait de me décrire, mais elles avaient sans doute leur charme désuet, ai-je supposé, et donc je l'ai divertie avec des scènes de la vie amoureuse de Lahore pendant ce qui m'a paru être des heures.

À un moment, je me suis surpris en train de fixer le plafond comme si j'admirais les étoiles, et nous nous sommes brusquement mis à rire de concert. Nous en étions arrivés à nous sentir à l'aise dans le même lit, à tel point que j'ai dû lutter contre un bâillement de fatigue, tandis qu'au-dehors le ciel commençait à s'éclairer. Annonçant qu'elle avait sommeil, elle aussi, Erica m'a assuré que mon effet sur elle était meilleur que n'importe quel calmant. Et nous nous sommes endormis ainsi, non dans les bras l'un de l'autre mais côte à côte, nos épaules et nos phalanges s'effleurant. Je n'ai pas rêvé d'elle mais du pays, peut-être à cause de la dernière partie de notre conversation. Quels ont été ses rêves à elle, je l'ignore.

Mais je remarque que vous me considérez avec une expression particulière, sir. Est-ce que vous me prenez pour un goujat, de vous avoir soumis des détails aussi intimes, vous, somme toute un inconnu ? Non ? Bien, j'interpréterai ce discret mouvement de tête comme une dénégation. Je vous prie de croire, toutefois, que je ne m'exprime pas souvent avec une telle liberté ; cela ne m'arrive presque jamais, à vrai dire. Mais cette nuit, et je pense que vous en avez autant conscience que moi, n'est pas une nuit *comme les autres.* C'est ce que je ressens, du moins, et si je me trompe vous avez tous les droits de conclure que je suis un insupportable raseur.

7

Je me demande, sir, si je croyais pour de bon à la solidité des fondations de la nouvelle vie que je tentais de m'inventer à New York. Oh, je *voulais* y croire, pas de doute ! Ou du moins je cherchais si intensément à y croire que je m'empêchais de faire face à l'évidente corrélation entre les fractures qui étaient apparues dans l'univers où j'évoluais et l'effondrement imminent de ma version personnelle du Rêve américain. Que je me sois mis de telles œillères me paraît choquant, *a posteriori*, d'autant que les signes avant-coureurs de la catastrophe étaient tellement criants dans les journaux, dans les rues, et jusque dans l'état de la femme dont je m'étais entiché !

Tout au long de ces semaines de septembre et d'octobre où je flirtais avec Erica, l'Amérique s'était laissé envahir par une colère autosatisfaite, toujours plus virulente. Comme je m'y étais attendu, votre pays avait réuni une horde vengeresse et l'avait envoyée dans le monde, mais plus précisément en direction du mien, vers ma famille restée au Pakistan. Lorsque je leur parlais au téléphone, ma mère manifestait sa peur, mon frère son indignation et mon père un stoïcisme à toute épreuve. Tout finirait par rentrer dans l'ordre, affirmait-il, et ces assurances paternelles, venues calmer mes propres inquiétudes, me semblaient si convaincantes que je les reprenais à mon compte. « Tu te fais du souci, man ? » m'avait demandé un jour Wainwright à la cafétéria d'Underwood Samson, posant une main solidaire sur mon épaule tandis que je me préparais un bagel au saumon fumé et à la crème fraîche. Pas du tout, lui avais-je répondu : le Pakistan avait réaffirmé son soutien aux États-Unis, les menaces des taliban n'étaient que creuse rhétorique, ma famille ne courait aucun risque.

Je faisais de mon mieux pour ignorer les rumeurs colportées par la clientèle du Pak-Pendjab Deli, les histoires de chauffeurs de taxi pakistanais sauvagement agressés, de descentes du FBI dans des mosquées, des boutiques et même des domiciles privés, de musulmans qui disparaissaient dans des centres de détention entourés de mystère pour être soumis à des interrogatoires ou à pire encore, peut-être. Je me persuadais que la plupart d'entre elles étaient des inventions, et que les rares qui ne l'étaient pas avaient certainement été exagérées. Bien que regrettables, les quelques cas d'abus d'autorité dont la presse se faisait l'écho n'avaient guère d'impact sur moi : après tout, ce genre de déconvenues arrivaient aux faibles et aux démunis dans le monde entier, en Amérique comme ailleurs, mais ne pouvaient atteindre des diplômés de Princeton dont le salaire annuel avoisinait les quatre-vingt mille dollars.

Ainsi protégé par mon armure d'illusions, j'ai pu me consacrer à mon travail avec toujours plus de succès. Ma mission aux Philippines m'ayant valu un rapport exceptionnellement élogieux, j'étais devenu le petit chouchou de Jim, qui m'a proposé une nouvelle participation à l'une de ses équipes d'audit. Cette fois, il s'agissait d'analyser un fournisseur de services par câble du New Jersey, un court trajet depuis Manhattan que j'ai commencé à effectuer chaque jour. Durement touchée par le désenchantement des investisseurs envers le secteur de la technologie de pointe en général et les opérateurs de réseaux de petit calibre en particulier, l'entreprise, quasiment en cessation de paiements, était la proie attendue d'une OPA.

Dans ce cas précis, notre client n'avait cure d'éventuels potentiels de développement ; notre tâche se résumait exclusivement à déterminer ce qui pouvait et devait être dégraissé. Il fallait de toute évidence confier les centres d'appel à la sous-traitance, réduire les prestations de maintenance technique, mieux intégrer le département commercial. Les conséquences en termes de réduction des ressources humaines n'échappaient à personne, de sorte que l'accueil de notre équipe par les employés a été plutôt glacial : nos téléphones et nos télécopieurs tombaient mystérieusement en panne, nos passes de sécurité et nos agendas électroniques nous étaient dérobés, et j'ai retrouvé tant de fois ma voiture de location avec un pneu crevé sur le parking de la société qu'il ne pouvait s'agir d'un hasard.

C'est ce qui s'est encore produit un jour où Jim, venu voir comment les choses avançaient, m'avait demandé de le ramener en ville. Il m'a regardé sortir la roue de secours en secouant tristement la tête : « Ne vous laissez pas abattre par ça, Tchenguiz, m'a-t-il recommandé. Le temps n'avance que dans une seule direction, n'oubliez pas ! Tout change. » Ouvrant le fermoir en métal de sa montre, un solide chronomètre de plongée, il a laissé glisser le lourd bracelet sur ses phalanges. « Quand j'étais étudiant, a-t-il poursuivi, l'économie était à vau-l'eau. Années 1970. Stagflation. Mais les opportunités abondaient, il suffisait de lever le nez : l'Amérique était en train de passer de l'ère industrielle à celle des services, une mutation énorme, plus importante que tout ce que nous avions vécu. Mon père avait vécu et était mort en travaillant de ses mains, donc j'étais bien payé pour savoir que ce temps-là était révolu. » Remettant le fermoir en place, il a serré le poing, l'a soulevé, puis a lentement fait osciller son puissant avant-bras de droite à gauche jusqu'à ce que la montre revienne à sa place habituelle. Cela ressemblait presque à un rituel, celui d'un batteur de base-ball – ou même d'un chevalier médiéval, irais-je jusqu'à suggérer – enfilant son gant avant d'entrer sur le terrain du tournoi. « L'économie, c'est un animal, a continué Jim. En constante évolution. Au début, il avait surtout besoin de muscles, mais maintenant tout le sang qu'il a pu économiser est dirigé dans son cerveau. C'est là que je voulais être, moi. Dans le cerveau. La finance. La coordination de l'ensemble. Et c'est là que *vous* vous trouvez, aussi. Vous êtes du sang arrivé d'une partie du corps dont l'espèce en question n'a plus eu besoin. La queue, disons. Comme moi. Nous venons de zones qui ne servaient plus à rien. » La roue changée, j'ai refermé le capot et déverrouillé les portières. Après avoir bouclé sa ceinture à côté de moi, Jim a montré d'un signe de tête l'immeuble dont nous étions en train de nous éloigner et où toutes les lumières s'étaient éteintes. « La plupart des gens refusent d'admettre ça, mon grand. Ils essaient de résister au changement. Le pouvoir, c'est de *devenir* le changement. »

Alors que nous rentrions à New York ce soir-là, et comme bien des fois au cours des semaines suivantes, j'ai médité les paroles de Jim. Bien qu'elles aient sonné assez juste à mes oreilles, je ne raffolais pas de l'idée que je serais venu d'une partie de quelque organisme condamnée à l'atrophie et à la disparition, et j'ai donc préféré me focaliser sur l'aspect positif de son petit sermon : j'avais choisi une activité qui serait toujours plus importante pour le bon fonctionnement de l'humanité et, en conséquence, me gratifierait de bénéfices toujours plus généreux. J'ai aussi découvert qu'il m'avait laissé mieux équipé pour conclure que la rancune qui bouillait autour de nous en cet automne sur une zone industrielle du New Jersey était malavisée, ou du moins à courte vue.

Il ne serait pas juste de dire que j'étais parfaitement serein, cependant. Parmi le personnel de cette société, il y avait des employés d'un certain âge près desquels je me retrouvais parfois lors de la pause déjeuner au réfectoire – non à la même table, certes, car personne ne venait jamais s'asseoir à celle que nous occupions en partie. Plusieurs devaient avoir des enfants de mon âge, me disais-je. Si l'anglais avait eu une forme de politesse pour la seconde personne, comme l'urdu ou d'autres langues, je n'aurais pas hésité une seconde à l'employer en m'adressant à eux. Dans le contexte tendu qui était le nôtre, les occasions de leur manifester ma déférence, sinon ma sympathie, restaient limitées.

Comme je mentionnais ce point à Wainwright pendant l'un des nombreux week-ends où nous avions dû rester au bureau tard le soir, il m'a rétorqué : « Tu grattes pour le boss, mon petit ami. On t'a jamais appris ça, pendant ta formation ? » Puis il avait continué avec un sourire las : « Mais je pige d'où tu viens. Rappelle-toi seulement que les opérations sur lesquelles tu travailles se réaliseront, que tu sois impliqué dedans ou non. Et concentre-toi sur les principes de base ! »

« Concentre-toi sur les principes de base » : c'était le credo essentiel d'Underwood Samson, celui qui nous avait été martelé sans relâche depuis le tout premier jour. Cela signifiait une attention obsessive à l'aspect financier, la recherche obstinée des moindres facteurs qui déterminent la valeur d'une entreprise, d'une marque, d'un bien. Et c'est exactement ce à quoi j'ai continué à m'adonner, la plupart du temps avec un zèle euphorique. Car pour être entièrement honnête, sir, les accès de compassion coupable que je ressentais envers des salariés poussés vers la porte de sortie n'étaient pas d'une fréquence intolérable ; notre travail exigeait un dévouement tel qu'il ne nous laissait que peu de temps pour des distractions de ce genre.

Et puis, vers la fin octobre, un événement est venu déranger cette sérénité besogneusement préservée. C'était très peu de temps après ma nuit d'amour avortée avec Erica, peut-être un jour ou deux mais je ne m'en souviens plus exactement. Le pilonnage de l'Afghanistan durait depuis une quinzaine déjà et j'avais préféré éviter les bulletins d'informations télévisés, peu enclin à suivre la présentation, tendancieuse et réduite à une sorte de compétition sportive, du combat inégal entre les bombardiers américains munis d'armes futuristes et les francs-tireurs mal nourris qui brandissaient de vieilles pétoires en dessous. Les rares fois où j'étais soumis à ces images – dans un bar, par exemple, ou dans le hall d'entrée de l'entreprise où je continuais ma mission –, elles me rappelaient le film *Terminator*, mais avec un casting inversé : dans ce cas, c'était les robots qui devenaient les héros.

Mais c'est en allumant la télévision de mon propre chef que j'ai été fortement perturbé. Rentré du New Jersey après minuit, un soir, je zappais à la recherche de quelque feuilleton qui anesthésierait la tension de la journée lorsque je suis tombé sur une vidéo prise avec une caméra de vision nocturne, des ombres de parachutistes américains touchant terre en Afghanistan pour ce que le commentateur décrivait comme un raid audacieux contre un poste de commandement taliban. L'indignation m'a envahi entièrement par surprise. L'Afghanistan était notre voisin, un pays ami, et de plus une nation musulmane comme le Pakistan ! La vue de ce que j'ai pris pour le lancement d'une invasion terrestre par vos compatriotes m'a laissé tremblant de fureur. J'ai dû m'asseoir pour retrouver mon calme, et je me rappelle avoir vidé un bon tiers d'une bouteille de whisky avant d'arriver à basculer dans le sommeil.

Le matin suivant, je suis arrivé en retard au travail. C'était la première fois, depuis le tout début. Groggy, affligé d'une épouvantable migraine, je n'éprouvais plus la rage qui m'avait saisi plus tôt, mais même si je souhaitais me convaincre qu'elle n'avait été que le fruit de mon imagination je n'arrivais plus à mener jusqu'au bout ces exercices d'autosuggestion. Je me suis toutefois dit que ma réaction avait été exagérée, que de toute façon je ne pouvais rien y faire, que toutes ces convulsions internationales se situaient à un niveau qui n'avait aucun rapport avec ma propre existence. Mais j'avais conscience des braises qui continuaient à rougeoyer en moi : ce jour-là, j'ai eu le plus grand mal à me « concentrer sur les principes de base », ce qu'en temps normal je savais si bien faire.

Écoutez ! Avez-vous capté ce grognement étouffé, sir ? Comme celui d'un lionceau prisonnier d'un sac de toile ? Eh bien, c'était mon estomac qui protestait d'être privé de nourriture. Allez, commandons à dîner ! Comment ? Vous préférez attendre d'être revenu à votre hôtel pour souper ? Non, non, j'insiste ! Vous ne pouvez simplement pas manquer une initiation à la plus authentique cuisine de Lahore ! Vu les spécialités qui ont conféré aux gargotes de ce bazar une réputation justifiée, ce sera un festin strictement carnivore, une expérience qui nous ramènera au temps où l'homme, ignorant l'existence du cholestérol, n'était pas encore effrayé par sa proie naturelle, et les agapes n'en seront que plus succulentes.

Est-ce parce que notre richesse, notre puissance, voire notre prestige sportif – mis à part les soudains coups de génie de notre imprévisible sélection de cricket – ne sont présentement pas commensurables à notre rang de sixième pays le plus peuplé au monde que nous autres Pakistanais affichons une fierté aussi remarquable de nos ressources culinaires ? Ici, dans le vieux quartier d'Anarkali, cet orgueil national se reflète dans le caractère strictement traditionnel des mets proposés : aucun de ces dignes restaurateurs ne songerait à mettre un plat occidental à sa carte ! Au contraire, nous voici entourés par le *kebab* de mouton, le *tikka* de poulet, le ragoût de pieds de chèvre, la cervelle d'agneau en sauce piquante ! Ce sont là, sir, des délices de *prédateur*, des friandises qui ont un parfum de luxe, de débauche, je dirais ! Ni le régime végétarien que l'on trouve de l'autre côté de notre frontière orientale, ni les viandes stérilisées, aseptisées, banalisées qui dominent dans votre pays natal ne sont faits pour nous. Ici, quand il s'agit d'assumer les conséquences de nos désirs, nous ne nous laissons pas facilement rebuter.

Car nous n'avons pas toujours croulé sous les dettes et mendié l'aide internationale. Dans les belles histoires que nous nous racontons, nous ne sommes pas les crève-la-faim surexcités que vous voyez régulièrement sur vos écrans de télévision mais des saints, des poètes et, oui, des rois conquérants. C'est un fait qu'ici, dans cette ville, nous avons été capables de construire la Grande Mosquée et les jardins de Shalimar ; personne d'autre que nous n'a édifié le fort de Lahore, ses murailles formidables et ses rampes d'accès pour les éléphants de combat. Et nous avons accompli tout cela alors que votre pays n'était encore qu'une guirlande de treize colonies survivant péniblement au bord d'un vaste continent !

Mais je vois que je vous ai mis mal à l'aise en élevant la voix ainsi. Pardonnez-moi : mon intention n'était surtout pas de me montrer impoli. De toute manière, je ferais mieux de vous expliquer ma décision de ne pas parler à Erica de la fureur qui s'était emparée de moi en voyant les troupes américaines pénétrer en Afghanistan. Après cette nuit où nous avions *fêté* dans mon lit les encouragements reçus par un agent littéraire, plusieurs jours s'étaient écoulés sans que je revoie Erica, sans que je puisse lui parler au téléphone et sans qu'elle réponde à mes messages. Prenant son silence pour de l'irrespect, j'avais été blessé par son comportement et c'est donc d'une humeur massacrante que je me suis rendu au rendez-vous qu'elle a fini par me consentir pour prendre un verre ensemble. J'étais loin de soupçonner le spectacle qui m'attendait.

C'était l'ombre d'Erica qui était assise au bar, non la fille alerte et enjouée que je connaissais. Pâle, nerveuse, visiblement amaigrie, les yeux fuyants : j'ai presque eu l'impression de me trouver devant une inconnue, et c'est seulement quand elle m'a souri – hélas pour le plus bref des instants – que j'ai cru entrevoir l'Erica de jadis. Ma consternation devait être patente puisqu'elle a eu encore un sourire fugace et qu'elle m'a demandé :

« J'ai l'air si mal en point ?

— Pas du tout ! ai-je menti. Juste un peu fatiguée, peut-être. Ça ne va pas ?

— Non, pas trop. Désolée de ne pas t'avoir recontacté plus tôt.

— Mais non, mais non. J'espère que je ne t'ai pas importunée avec mes appels.

— Jamais ! J'ai eu une mauvaise passe, c'est tout. Ça m'est déjà arrivé. Mais là… ça n'avait jamais été aussi dur depuis la mort de Chris. »

Nous avons passé commande : moi une bière, elle une eau minérale. J'ai été tenté de la serrer dans mes bras mais je me suis ravisé, parce qu'elle semblait tellement fragile que le moindre contact aurait pu la briser.

« Ce qui se passe, a-t-elle continué, c'est que mon esprit se met à tourner en rond, à fonctionner à vide, et que j'en perds le sommeil. Et après deux ou trois jours sans dormir, tout commence à aller de travers, on ne mange plus, on pleure pour un rien. C'est un cercle vicieux, tu comprends ? Le toubib m'a donné des comprimés plus forts, donc je dors à nouveau mais ce n'est pas du vrai sommeil, et le reste du temps je me sens bizarre, comme… Comme quand on descend d'un avion et qu'on n'arrive plus à entendre. À part que… À part que ce n'est pas seulement l'ouïe, et que je ne peux pas me déboucher les oreilles. » Elle a pris une gorgée d'eau et m'a adressé un clin d'œil forcé. « C'est lourd, hein ? »

Je suis resté là, incapable de lui offrir une parole d'encouragement ou un sourire, pétrifié d'horreur. Comme elle attendait une réponse de ma part, cependant, je me suis enquis d'un ton trop guindé :

« Quelles sont les pensées qui te mettent dans un état pareil, d'après toi ?

— Je pense à Chris. Je pense à moi, aussi. Je pense à mon livre. Des trucs plutôt déprimants me passent par la tête, parfois… Et je pense à toi, aussi.

— À moi ? Et quoi donc ?

— Je pense que ce n'est pas bon pour toi de me voir autant, en ce moment. Pas bon du tout.

— Allons bon ! ai-je lancé avec une feinte gaieté, alors que je mourais de peur, en réalité. Mais je veux te voir, moi !

— C'est bien ce que je dis », a-t-elle répliqué en me regardant très sérieusement, dans les yeux.

Comme je ne comprenais pas du tout sa logique, je lui ai proposé de venir chez moi. « Je ne pense pas que ce soit une bonne idée, vraiment », a-t-elle répondu, d'un ton plus doux toutefois, et elle a fini par accepter lorsque j'ai encore insisté. Dans le taxi, mon cerveau a tenté d'assimiler ce qui était en train de se passer. Au cours des dernières semaines – cela va peut-être vous sembler d'une naïveté passée de mode mais je dois souligner que, dans la tradition de ma famille, il est d'usage pour un soupirant de se déclarer rapidement –, je m'étais permis de rêver de devenir le mari d'Erica. Or, voilà que non seulement ces espoirs, mais aussi la femme qui les avait inspirés, s'évanouissaient devant moi comme un mirage. Je voulais désespérément l'aider, la protéger – *nous* protéger, devrais-je dire –, la libérer du labyrinthe de sa psychose. Mais comment procéder ? Je n'en avais pas la moindre idée.

Une fois dans mon lit, elle m'a demandé que je la prenne dans mes bras. Lui ayant obéi, je me suis mis à lui parler tout bas à l'oreille : sachant à quel point elle aimait écouter mes évocations du Pakistan, j'ai enchaîné les anecdotes concernant ma famille, la vie à Lahore. Quand j'ai essayé de l'embrasser, elle n'a pas bougé les lèvres ni fermé les yeux, ce que j'ai fait pour elle.

« Chris te manque ? » ai-je chuchoté.

Elle a hoché la tête en guise de réponse. J'ai aperçu des larmes forcer leur passage entre ses paupières closes.

« Alors fais semblant, ai-je continué de la même manière. Fais comme si j'étais lui. »

Je ne sais pas pourquoi j'ai dit une chose pareille. Sans doute parce que je me sentais au pied du mur et que cette étrange proposition m'avait soudain paru une issue possible.

« Quoi ? a-t-elle murmuré sans ouvrir les yeux.

— Fais comme si j'étais lui », ai-je répété.

Et là, en silence, dans l'obscurité, lentement, c'est ce que nous avons tenté.

Je ne saurais décrire l'état dans lequel cette expérience m'a plongé. Sans aller jusqu'à dire que j'étais *possédé*, je crois que je n'étais plus entièrement moi-même. C'était comme si nous nous étions retrouvés sous l'emprise d'un sortilège, transportés dans un monde où j'étais Chris et où elle était avec lui. Nous avons fait l'amour avec un abandon que nous n'avions jamais atteint. Son corps ne rejetait plus le mien. Je regardais ses yeux fermés qui à leur tour le regardaient, lui.

Je garde dans ma mémoire sa densité musculaire encore accentuée par le poids qu'elle avait perdu, la froide souplesse de sa chair presque inanimée tandis qu'elle se laissait aller en arrière, livrant ses seins à mon toucher. La fente entre ses jambes était humide, dilatée, mais aussi étrangement rigide, qui m'a fait penser malgré moi à une blessure, conférant ainsi une nuance de violence à notre rencontre sexuelle en dépit de la délicatesse avec laquelle je voulais procéder. Plus d'une fois, croyant capter l'odeur du sang, j'ai porté mes doigts à son bas-ventre pour m'assurer qu'elle n'était pas dans sa période de menstruation, mais je les ai retirés sans une seule tache. Vers la fin, elle a été prise d'un tremblement violent, presque d'agonie, ce qui a précipité mon propre émoi.

« Tu es quelqu'un de bon », a-t-elle affirmé plus tard alors que nous étions étendus côte à côte. « Ça a l'air idiot à dire mais c'est la vérité. »

Je l'ai serrée contre moi sans répondre. Ce que je ressentais ne m'était jamais arrivé et ne s'est jamais reproduit, un mélange de satisfaction et de honte, également intenses. La première était compréhensible, la seconde me laissait bien plus perplexe. Était-ce d'avoir perdu crédit à mes propres yeux en revêtant l'identité d'un autre ? Était-ce l'humiliation de découvrir la suprématie obstinée de mon rival disparu dans le bizarre triangle sentimental au sein duquel je m'étais retrouvé ? Était-ce parce que je me demandais si je n'avais pas agi par pur égoïsme, avec le risque de provoquer un grave dommage chez Erica ? Cette dernière explication demeure cependant peu probable, j'espère, car comment aurais-je pu prévoir ce par quoi elle allait passer au cours des semaines et des mois suivants ?

Cette nuit-là, elle s'est endormie sans avoir besoin de somnifères. Moi, je suis resté éveillé, en partie parce que j'étais tenaillé par la faim. Longtemps j'ai hésité à me lever pour aller fouiller le réfrigérateur tant je craignais de la déranger, et puis je m'y suis risqué, voyant qu'elle dormait comme un bébé. Je me suis contenté de pain et d'eau, un souper insipide mais dont je me suis gavé, et lorsque je suis revenu au lit mon ventre, tendu tel un tambour devant moi, m'a obligé à me coucher sur le côté.

Compte tenu de la pénombre qui nous entoure et de l'impassibilité de vos traits, sir, je ne puis l'affirmer mais j'ai la nette impression que vous me considérez avec une certaine… répugnance. Si vous m'aviez raconté ce que je viens de vous confier, nul doute que j'aurais réagi pareillement. Enfin, j'espère que votre écœurement ne vous a pas coupé l'appétit car voyez, je fais présentement signe à notre serveur de venir prendre commande. Je vous garantis que ce soir notre dîner, lui au moins, ne manquera pas de goût ! Mais le voici, notre diligent ami !

8

Je dois constater, sir, que notre serveur continue pour une raison ou une autre à vous mettre mal à l'aise. Je reconnais que sa carrure est plutôt intimidante, et il est encore plus massif que vous, c'est vrai, mais la dureté de ses traits burinés est facilement explicable : il est originaire de nos montagnes du Nord-Est, où la vie est loin d'être facile. Si vous ressentez quelque hostilité dans son comportement à votre égard, je vous prie de bien vouloir ne pas le prendre trop à cœur. La tribu dont il est originaire s'étend de chaque côté de la frontière avec notre voisin afghan et a eu à pâtir des opérations militaires menées par vos concitoyens.

Mais quoi ? S'est-il mis à prier, vous demandez-vous ? Non, sir, aucunement ! Par son rythme déclamatoire, son débit si typique de formules apprises par cœur, l'énumération n'est pas sans rappeler une litanie, je l'admets ; plus modestement, il s'agit d'une tentative de réciter le menu qui nous est proposé, un peu comme ses homologues américains débitent la liste des *specials*, des plats du jour. Ici, cependant, vous ne devez vous attendre à rien de spécial : l'excellent établissement dont nous sommes ce soir les clients propose imperturbablement la même carte depuis de très nombreuses années. Je pourrais vous traduire ses suggestions, bien entendu, mais il serait sans doute préférable que je choisisse un certain nombre de spécialités que nous pourrions partager. Me ferez-vous cet honneur ? Merci, merci ! Voilà, c'est fait. Notre amphitryon est reparti.

Je vous parlais de la confusion émotionnelle dans laquelle je me suis retrouvé la nuit où j'ai enfin pu faire l'amour à Erica, un moment qui aurait dû au contraire me plonger dans la plus grande des félicités, si nous avions eu une relation plus normale. Elle est partie avant le lever du jour, après s'être réveillée en sursaut et avoir proclamé, en dépit de mes protestations, qu'elle devait rentrer chez elle. Cette fois encore, mes coups de fil sont restés sans réponse, mes messages ignorés. Des jours et des jours se sont écoulés de la sorte, et comme j'étais payé d'expérience je n'ai pas insisté plus avant. Au bout de deux semaines, toutefois, j'ai enfin obtenu une réponse. À nouveau, elle s'est excusée d'avoir disparu de cette façon, elle a plaidé que c'était sans doute mieux pour elle, et certainement pour moi, avancé que nous ferions mieux de ne pas nous voir trop souvent, mais n'en a pas moins acquiescé à ma demande de la rencontrer. « Viens chez moi, alors, a-t-elle demandé. Je ne me sens pas capable de sortir. »

C'est sa mère qui m'a ouvert la porte et qui, après m'avoir fait passer dans un boudoir où, entre autres pièces de collection, on remarquait un bonsaï et un clavecin, m'a déclaré :

« Il serait bon d'avoir une petite conversation, je crois. Erica vous a raconté son histoire, si je ne me trompe ? ». J'ai acquiescé de la tête. « Eh bien, son problème est revenu. C'est sérieux. Ce dont elle a surtout besoin, maintenant, c'est de stabilité. Pas d'excitation d'aucune sorte, vous me suivez ? Vous êtes un gentil garçon, je le vois, et je sais qu'elle tient à vous, mais vous devez comprendre qu'elle n'est pas dans son état normal, en ce moment. Elle a besoin d'un ami, pas d'un petit ami. »

Elle me couvait d'un regard presque suppliant.

« Je comprends, madame, ai-je répondu, et je ferai ce que vous estimez être le mieux pour elle.

— Merci. » Elle a paru se détendre et ajouta avec un sourire : « On voit bien pourquoi elle vous apprécie tellement. »

Cet échange a eu un effet considérable sur moi, non tant par son contenu – même si cet aveu quant à la gravité de l'état psychologique d'Erica m'avait bien sûr alarmé – que par le ton sur lequel sa mère s'était exprimée, celui d'une consternation sans borne et cependant lucide, absolument effrayante. Quand je suis entré d'un pas hésitant dans sa chambre, je me préparais donc au pire mais ce que j'ai eu sous les yeux n'était pas particulièrement inquiétant : allongée sur son lit, aussi pâle que si elle avait un accès de fièvre, ses cheveux ternis et collés comme si elle ne les avait pas lavés depuis plusieurs jours, Erica paraissait de bonne humeur. Tapotant le matelas à côté d'elle pour m'inviter à m'asseoir, elle m'a tendu son front, sur lequel j'ai déposé un baiser.

Nous avons bavardé un moment, avec une telle décontraction que l'on aurait pu croire que rien ne s'était passé. Je lui ai raconté les aléas de ma nouvelle mission, les réactions belliqueuses des employés de la compagnie de services par câble, le discours que m'avait tenu Jim, bref ce qu'avait été mon train-train quotidien depuis notre dernière rencontre. Elle m'a parlé de son médecin, des sédatifs qu'elle prenait et qui affectaient sa capacité de concentration, de sorte que les jours lui semblaient s'enfuir sans rien qui les rende dignes d'intérêt. À la manière dont elle décrivait son état, j'aurais pu penser que son équilibre n'était aucunement affecté et qu'elle serait vite rétablie. Mais tout a brutalement changé quand je l'ai interrogée sur son roman.

J'ai aussitôt regretté de m'être risqué sur ce terrain car ses yeux se sont mis à errer dans la pièce et sa voix a perdu son assurance.

« Je... Je n'arrive pas à travailler dessus, a-t-elle soupiré. Chaque fois que j'essaie, je m'énerve. Mon agent a appelé plusieurs fois mais je ne lui ai pas parlé. Le pauvre ! Il doit croire que je suis complètement siphonnée. »

Après avoir fait la remarque que les écrivains sont connus pour leurs excentricités et que son agent devait certainement avoir vu pire, j'ai tenté de changer de sujet. Elle ne m'a pas suivi, cependant.

« Ça ne m'aide plus, d'écrire. Avant, je m'en servais pour sortir des choses qui étaient bloquées à l'intérieur de moi. Mais je n'y arrive plus. Au contraire, ça me renferme en moi-même. Ça me paralyse au lieu de me pousser à écrire. »

J'aurais voulu m'empêcher de lui demander ce qu'elle entendait par « ça », craignant sans doute l'effet négatif que la question aurait sur elle – ou peut-être sur moi ? –, mais je n'ai pu me retenir.

« C'est soit qu'il reste quelque chose, soit que tout est déjà arrivé », m'a-t-elle confié, avec un calme confondant.

Comment vous décrire le pénible effet que ses paroles ont eu sur moi, sir ? Elle a détourné le regard et je l'ai vue se retrancher dans le secret de ses pensées. J'ai placé ma main près de la sienne dans l'espoir de la faire revenir à la réalité, comme j'y étais parvenu tant de fois. J'ai contemplé ma peau brune et saine, sa peau d'une blancheur maladive, seulement séparées par une infime distance, à peine la taille d'un anneau de fiançailles, mais Erica continuait à regarder dans le vide. J'ai attendu, en vain, que ma proximité se fasse reconnaître d'elle. Plusieurs minutes se sont écoulées ainsi puis, sans même tourner les yeux vers moi, elle a retiré sa main et l'a placée dans son giron.

Lorsque sa mère est entrée peu après, je n'ai pas ressenti son arrivée comme une intrusion. Elle n'interrompait pas une conversation entre sa fille et moi, non ; elle mettait simplement fin à mon ingérence dans un échange qu'Erica poursuivait avec Chris sur un plan que je ne pouvais atteindre ni même vraiment concevoir. Quand je suis sorti de sa chambre, Erica m'a adressé un signe d'adieu mais elle a gardé son visage détourné, m'empêchant ainsi de lire dans ses yeux. Après m'avoir remercié d'être passé, sa mère m'a suggéré d'attendre qu'Erica me contacte avant de revenir. Ensuite, elle m'a embrassé légèrement sur la joue, la porte de l'ascenseur s'est refermée et j'ai entamé ma descente vers le sol, seul.

Revenu chez moi, je suis resté éveillé toute la nuit, dans le clair-obscur dont les lumières de la ville baignaient mon appartement, à me demander – ainsi que j'allais le faire pendant des mois, et parfois encore maintenant – où Erica allait finir. Je n'ai jamais pu comprendre ce qui avait déclenché son déclin : le traumatisme de voir sa ville attaquée, le fait de s'être séparée de son livre afin de lui chercher un éditeur, les échos que notre relation sexuelle avait pu éveiller en elle ? Tous ces éléments combinés ? Ou rien de tout cela ? Ce que je pense avoir saisi déjà à ce moment, c'est qu'elle était en train de se laisser emporter par une intense *nostalgie*, et qu'elle seule était en mesure de décider si elle voudrait revenir ou pas.

Il était clair qu'elle désirait quelque chose que j'étais incapable de lui donner, même en consentant à jouer le rôle d'un autre. Apparemment, elle voulait revenir au temps où Chris et elle étaient adolescents, à une ère antérieure au moment où le cancer de son ami l'avait rendue consciente de la mortalité et de l'impermanence des êtres. Peut-être cet âge d'or avait-il été aussi merveilleux qu'elle me l'avait décrit si souvent, ou bien le passé exerçait-il sur elle une telle attraction parce qu'il était imaginaire ? Je n'étais pas certain de croire en la réalité de leur amour : n'était-ce pas, après tout, une religion qui ne m'accepterait jamais en son sein, même converti ? Je savais cependant qu'elle y croyait, elle, et je me sentais misérable de n'avoir rien d'aussi grandiose à lui offrir en remplacement.

Je n'ai pas revu Erica, cette année-là. Thanksgiving a bientôt laissé place aux frimas de décembre. Chaque semaine – que dis-je, chaque jour ! –, je pensais lui téléphoner, puis je me l'interdisais. Non seulement c'était ce que sa mère m'avait demandé mais je craignais aussi, je pense, que m'immiscer dans son combat intérieur après le tour catastrophique que notre relation avait pris ne pourrait qu'avoir des conséquences négatives sur Erica. Je dois toutefois reconnaître que mes raisons n'étaient pas entièrement nobles, qu'il y avait en moi des traces du ressentiment et de la vanité blessée propres à un amoureux éconduit et que, lamentablement, cela contribuait à ma décision de garder mes distances. Je n'en restais pas moins préoccupé pour elle, et puis il s'attardait en moi, eh bien, un certain espoir, oui, hautement irrationnel et cependant indéniable. Toutes ces émotions rendaient ma lutte contre l'envie de reprendre contact avec elle semblable à ce qu'éprouverait quelqu'un s'efforçant de renoncer à une substance addictive.

Peut-être sous l'influence de mes préoccupations personnelles, j'avais l'impression que l'Amérique était elle aussi en train de s'abandonner à une dangereuse nostalgie, à cette époque. Il y avait un côté indéniablement rétro dans cette marée de drapeaux et d'uniformes, ces généraux faisant face aux caméras au milieu de salles d'opérations, ces gros titres de journaux où des mots tels que *devoir* et *honneur* revenaient sans cesse. Moi qui avais toujours tenu l'Amérique pour une nation qui allait sans cesse de l'avant, j'étais pour la première fois frappé par son apparente détermination à regarder... en arrière. Vivre à New York en cette période, c'était comme être lâché dans un film ayant pour thème la Seconde Guerre mondiale. En tant qu'étranger, j'assistais à un spectacle auquel convenait le noir et blanc d'une vieille pellicule, non le technicolor. Ce que vos compatriotes cherchaient dans cette régression temporelle n'était pas clair, pour moi : un âge de domination incontestée ? De sécurité absolue ? De certitude de leur bon droit ? Je l'ignorais, mais ce qui devenait évident c'était leur volonté de s'affubler de costumes appartenant à une autre ère. Et je ressentais comme une traîtrise le fait de me demander si cette ère n'était qu'un mirage ou si, au cas où elle deviendrait une réalité, quelqu'un comme moi pourrait y jouer un rôle.

Quel est ce bruit ? Ah, votre peu commun téléphone qui, par ses bips, exige à nouveau votre attention ! Faites, sir, je vous en prie : prenez tout votre temps pour taper votre réponse. Maintenant que j'y pense, je constate que ces appels se sont produits avec la précision du carillon d'une vénérable église, je veux dire toutes les heures, à la minute près. Est-ce votre employeur qui prend ainsi de vos nouvelles ? Non, non, vous n'avez pas à me dire si je me trompe ou pas. Mais puisque vous avez envoyé votre message, permettez-moi de vous suggérer de porter votre regard sur ce gril où, à l'instant même, nos pièces de poulet désossé viennent d'être posées à rôtir. Observez les étincelles rougeoyantes qui s'échappent furieusement du charbon ventilé par le cuisinier. C'est assez beau, vous devez le reconnaître, et bientôt… Non, là, maintenant ! Vous sentez ? Ah, ces effluves vous mettent l'eau à la bouche !

Je vous parlais de la nostalgie qui s'est imposée de toutes parts dans ma vie au début du dernier hiver que j'allais passer dans votre pays. Un seul rempart continuait cependant à m'empêcher d'y succomber à mon tour : Underwood Samson, qui occupait la majeure partie de mes journées et qui, en tant qu'organisation, ne s'intéressait que très peu au passé. Loin d'inspirer la mélancolie, notre travail consistait à modeler l'avenir, et pour ma part je me montrais toujours plus efficace à redéfinir celui de notre client du New Jersey, espérant du même coup échapper aux inquiétudes qui revenaient me hanter dès que j'avais le temps de les ruminer.

Jamais, je crois, je n'ai autant excellé à me « concentrer sur les principes de base » qu'à cette époque, à analyser les données comme si ma survie en dépendait. Notre credo, qui plaçait la productivité maximale au-dessus de tout, me rassurait pour une double raison : parce qu'il était *quantifiable*, palpable en ces temps d'incertitudes et de flottements, et parce qu'il continuait résolument à fonctionner sur l'idée de progrès alors que tant de gens autour de moi semblaient s'enfermer dans le regret d'un âge harmonieux, *classique*, qui n'avait peut-être jamais existé et qui en tout cas s'était envolé. De ce fait, il m'a semblé que je comprenais encore mieux mes collègues, leur dévouement sans faille à la profession, et que ceux-ci avaient l'air de m'estimer encore plus, en retour.

Et pourtant, même au travail, je ne pouvais échapper au poids grandissant de l'*ethnique* dans cette nouvelle période. Un jour, alors que je m'approchais de ma voiture de location sur le parking du prestataire de services par câble, j'ai été abordé par un individu que je n'avais jamais vu. Approchant son visage du mien de façon inquiétante, il a produit une série de sons inintelligibles, « akhala-malakhala », peut-être, ou « khalapal-khalapala ». J'ai pivoté, levant les mains à hauteur d'épaules. J'ai pensé qu'il pouvait s'agir d'un fou ou d'un ivrogne, ou encore d'un pickpocket, et c'est face à cette dernière éventualité que je me suis préparé à me défendre, voire à attaquer préventivement. À ce moment, un autre homme a surgi. Tout en me lançant un regard haineux, il a saisi son ami par le bras et l'a entraîné plus loin en lui répétant que cela ne valait pas la peine. L'autre s'est laissé faire, non sans lancer, quand il était déjà à plusieurs pas de moi : « Fucking Arab ! »

Je ne suis pas un Arabe, évidemment, ni quelqu'un de gratuitement agressif, en général, mais là mon sang n'a fait qu'un tour et j'ai crié : « Dis-le en face, sale lâche, pas le dos tourné et pendant que tu t'enfuis ! » Il a pilé sur place. Déjà, j'ouvrais la malle arrière pour me saisir du démonte-pneu. À cet instant, le poing crispé autour de la pièce de métal froid, j'aurais été très capable de la lui assener avec assez de force pour lui faire éclater le crâne. Nous sommes restés face à face quelques secondes chargées de haine, puis mon adversaire s'est laissé encore une fois tirer en arrière et s'est éloigné en marmonnant une bordée d'injures. Quand je me suis installé au volant, mes mains tremblaient. Sous le maillot des diverses équipes sportives auxquelles j'ai appartenu, il m'est arrivé de participer à un certain nombre de bagarres, mais je ne me souvenais pas d'avoir jamais éprouvé une montée d'agressivité aussi intense ; il m'a fallu plusieurs minutes avant que je me sente capable de prendre la route.

À quoi ressemblait-il ? me demandez-vous. En vérité, sir… C'est étrange, je sais, mais je ne m'en rappelle aucun trait particulier, ni son âge ni sa taille. À vrai dire, l'événement que je viens de vous relater demeure tout aussi flou dans ma mémoire, mais n'est-ce pas son *essence* qui compte ? C'est une histoire et, comme dans toute histoire – vous, un Américain, en conviendrez volontiers –, ce n'est pas l'exactitude des détails qui la rend pertinente, mais la force de

126

son contenu narratif. Et je vous garantis que, dans ses grandes lignes, elle s'est déroulée à peu près de la manière dont je vous l'ai dit.

Mais ne nous laissons pas distraire davantage. Quelques jours après la désagréable rencontre sur le parking, et alors que ma mission dans le New Jersey tirait à sa fin, j'ai reconduit une nouvelle fois Jim à Manhattan. Il était déjà tard, et comme nous étions tous deux morts de faim il m'a proposé de me joindre à lui au moment où je l'ai déposé chez lui ; il mettrait deux steaks de thon à la poêle, m'a-t-il dit. Au lieu de l'appartement guindé, avec portier en livrée en bas, que l'on aurait pu attendre de lui, il habitait un grand loft à TriBeCa, le dernier étage d'un immeuble banal de Duane Street. Dès l'entrée, j'ai été impressionné par le raffinement du décor, non qu'il y ait eu accumulation d'objets ou attention presque féminine aux détails : avec ses sols en béton brut et la tuyauterie apparente au plafond, l'endroit était un hymne au minimalisme, au sein duquel chacun des rares meubles était parfaitement mis en valeur par l'éclairage et la disposition, et où des œuvres d'art spectaculaires – y compris un nombre significatif de nus masculins, ai-je observé – se faisaient écho sur les murs.

Tandis que le poisson crépitait sur le feu, Jim, manches retroussées, m'a demandé à quoi je pensais. J'avais pris place sur un tabouret de l'autre côté du bar du coin-cuisine, où nous allions dîner.

« À rien de précis, ai-je répondu. Votre famille n'est pas là ? »

Il m'a lancé un regard amusé.

« Je ne suis pas marié.

— Ah. Et pas d'enfants ?

— Pas d'enfants, non. Mais vous évitez ma question.

— Que voulez-vous dire ?

— Vous avez l'air bizarre, ces derniers temps. Préoccupé. Il y a quelque chose qui vous tracasse. Si je devais deviner, je dirais que ce sont vos origines pakistanaises. Ce qui se passe dans le monde vous inquiète.

— Non, non ! » ai-je protesté en secouant énergiquement la tête pour repousser toute suggestion que ma loyauté puisse être divisée. « La situation chez nous n'est pas simple, c'est vrai, mais cela finira par s'arranger. »

Il m'a observé d'un œil peu convaincu.

« Votre famille va bien ?

— Oui, merci.

— D'accord, a-t-il enfin concédé, mais je vous l'ai déjà dit, je sais ce que c'est, d'être dans votre position. Si jamais vous voulez en parler, vous n'avez qu'à faire signe. »

En quittant l'appartement, j'espérais avoir dissipé ses soupçons. L'alerte avait été chaude : Jim était quelqu'un de particulièrement perspicace, certes, mais s'il avait discerné l'existence de conflits internes en moi, d'autres étaient susceptibles d'en faire autant. Ayant eu vent de rumeurs de licenciements abusifs ou de promesses d'embauche annulées concernant des musulmans en Amérique, je n'avais certainement pas envie de voir ma position à Underwood Samson compromise. Je n'ignorais pas que notre cabinet, comme toute la profession d'ailleurs, avait subi une sérieuse baisse d'activité et de commandes depuis les attentats de septembre, et Wainwright m'avait rapporté que des réductions de personnel étaient envisagées.

Même si notre intervention dans l'entreprise du New Jersey s'était bien terminée, en ce sens que notre client s'était montré satisfait par le sérieux de notre audit et par les axes de rentabilisation que nous avions définis, j'étais une boule de nerfs lorsque j'ai présenté mon rapport d'activité en décembre. Je n'avais pas de raison d'être aussi tendu, en réalité, car si deux des six consultants dont je faisais partie ont en effet été remerciés par la direction – ils avaient été classés cinquième et sixième de notre promotion –, Jim m'a annoncé que j'avais une nouvelle fois obtenu la première place et même qu'une prime d'intéressement allait m'être versée, certes modeste en comparaison de ce qui se pratiquait dans le métier mais néanmoins généreuse au vu de la période de vaches maigres qui paraissait nous attendre. Cette rentrée d'argent supplémentaire m'a permis de rembourser mes derniers prêts étudiants et de mettre quelques milliers de dollars de côté. J'aurais dû être aux anges, mais un peu plus tôt cette semaine-là un groupe armé avait donné l'assaut au Parlement indien, et du coup j'étais confronté à la perspective de voir mon pays en guerre au lieu de me réjouir de mon succès.

Ma mère m'avait dit de ne pas venir, mon père m'avait suggéré la même chose, mais grâce au zèle d'un courtier de voyages de la Septième Avenue et à ma soudaine prospérité, qui me permettait de m'offrir un billet en classe affaires sur un vol des Pakistan International Airlines, je me suis retrouvé en route vers Lahore à une époque où les New-Yorkais s'affairent aux derniers achats de cadeaux et où l'on voit des couples s'embrasser dans la rue pendant qu'ils ramènent chez eux de jolis petits arbustes qui leur serviront de sapins de Noël. Dans l'avion, mon voisin s'est empressé de retirer ses chaussures, pour mon plus grand inconfort, et de faire sa prière sur la moquette de la travée ; ensuite, il m'a expliqué que l'apocalypse nucléaire ne serait pas évitée si telle était la volonté du Créateur, mais que celle-ci restait pour le moment un mystère, remarque qui visait à me rassurer, ai-je présumé, puisqu'il l'a accompagnée d'un sourire bienveillant.

Mais voici venu le moment de nous sustenter, sir ! Dans votre propre intérêt, je vous conseille d'ignorer ces légumes hachés et ce bol de yoghourt. Comment ? S'il s'agit d'une forme de menace ? Pas du tout, sir, pas du tout ! Je n'avais en tête aucun lugubre sous-entendu, simplement le constat que votre estomac risquerait de ne pas digérer des aliments non cuits. Allons, je vous en prie, pas de soupçons inutiles ! Si vous insistez, j'irai jusqu'à goûter en premier chacune de ces assiettes, afin de vous prouver que vous n'avez rien à craindre. Oui ? Vous préférez ? Parfait. Laissez-moi prendre un bout de ce pain bien chaud, tout juste sorti du four en argile, et me voici prêt.

9

Vous me demandez si des couverts nous seront proposés, sir. Je suis certain qu'ils pourraient vous trouver une fourchette, oui, mais me permettrez-vous de suggérer que le moment est venu de nous salir les mains sans réticence ? Après tout, voilà déjà plusieurs heures que nous conversons ensemble et votre réserve initiale n'a plus lieu d'être. Il y a un plaisir indéniable à toucher sa proie, n'est-ce pas ? Des millénaires d'évolution humaine ont fait que le contact des aliments sur notre peau aiguise encore notre goût – et notre appétit, du même coup ! Ah, je vois que vous n'avez plus besoin d'encouragements : vos doigts ont entrepris de déchirer ce kebab avec une admirable détermination !

Lorsqu'on arrive d'Amérique ici, une certaine phase d'adaptation est nécessaire. Par exemple, il faut oser un nouveau regard sur les choses. Moi-même, je me rappelle ce que le mien avait d'américanisé quand je suis revenu à Lahore en cet hiver où la guerre menaçait. J'ai été frappé, de prime abord, par l'aspect misérable de notre maison, avec ces fentes qui couraient sur les plafonds, ces taches d'humidité sur les murs qui faisaient s'écailler la peinture. Le premier après-midi, il y avait eu une panne d'électricité et dans cette pénombre morose, à la lueur indécise des radiateurs à pétrole crachotants, le mobilier paraissait défraîchi, usé. Cette image du foyer familial m'a attristé ; non, plus que cela : elle m'inspirait de la honte. C'était donc là mon point de départ, ces pièces où tout exhalait la médiocrité !

Après un temps de réacclimatation, toutefois, la maison de Lahore est redevenue un endroit familier et j'ai compris qu'elle n'avait pas du tout changé pendant mon absence : c'est moi qui étais devenu un autre. Le regard que j'avais eu d'abord avait été celui d'un étranger, et plus encore que cela : l'œil critique et blasé de ces Américains qui m'avaient tellement énervé lorsque je les croisais dans les salles de cours ou les bureaux réservés à l'élite de votre pays. Ce constat m'a empli de colère envers moi-même ; fixant mon reflet dans la glace tachetée de la salle de bains, j'ai pris la résolution de me libérer de cet état d'esprit si déplaisant, qui était devenu comme une seconde nature.

Et c'est seulement alors que j'ai revu notre maison sous son véritable jour, que j'ai apprécié à nouveau sa persistante noblesse, son charme si particulier. Des miniatures de style mughal et de vénérables tapis décoraient ses salons, une bibliothèque bien fournie donnait sur la véranda. Loin d'être guettée par la décrépitude, elle était riche d'histoire et je me suis demandé comment j'avais pu me montrer aussi négatif – aussi aveugle – et avoir pensé le contraire. Que j'aie manqué à ce point de force de caractère et qu'un court séjour au sein d'une autre culture m'ait influencé aussi facilement m'a profondément perturbé.

Plus encore que cette introspection silencieuse, c'est la réalité même des dangers qui pesaient sur ma maison et mon pays qui m'a ouvert les yeux. Quand mon frère m'a retrouvé à l'aéroport, il m'a serré dans ses bras avec une telle force que j'ai senti mes côtes craquer et ensuite, tout en conduisant, il m'a passé plusieurs fois une main taquine dans les cheveux. Je me suis senti très jeune, soudain, ou plutôt comme le garçon de vingt-deux ans à peine sorti de l'enfance que j'étais, au lieu de l'homme artificiellement mûri que l'on devient quand on vit seul dans une ville étrangère et que l'on gagne sa vie en passant ses journées en costume-cravate. Ces simples marques d'affection, que je n'avais plus connues depuis longtemps, m'ont fait sourire doucement.

« Comment ça se passe ? lui ai-je demandé.

— Eh bien… Dans le jardin de la maison de campagne d'un ami à moi, ils ont creusé un poste d'artillerie, et il a un colonel qui dort dans la chambre d'invités, et c'est seulement à une demi-heure d'ici, donc on ne peut pas dire que ça se présente bien. »

Mes parents m'ont paru en forme, bien que plus fragiles que la dernière fois que je les avais vus ; à leur âge, les effets d'une année étaient bien sûr plus visibles. Pour bénir l'enfant prodigue à son retour, ma mère a tourné au-dessus de ma tête un billet de cent roupies qui serait ensuite donné aux pauvres. Les yeux bruns de mon père brillaient plus que de coutume.

« À cause des verres de contact, m'a-t-il expliqué en se tamponnant les cils avec un mouchoir. J'ai bien fait, non ? »

Je lui ai dit que oui, et c'était sincère car les lunettes qu'il avait été forcé de commencer à porter sur le tard dissimulaient trop la vigueur de ses traits. Ni lui ni ma mère n'ont voulu parler des rumeurs de guerre, préférant me combler de délicieux petits plats et m'écouter leur raconter ma vie à New York, ma prometteuse carrière… Évoquer ce monde dans la maison paternelle était aussi bizarre que, disons, siffloter dans une mosquée : ce qui paraît très normal quelque part semblera plus que bizarre ailleurs, et il y a des concepts qui ne s'exportent pas bien, voire qui ne supportent pas du tout le voyage. Je me suis donc abstenu de mentionner l'existence d'Erica, ou de tout ce que je pressentais pouvoir les troubler.

Lors du banquet familial organisé en mon honneur le soir même, par contre, la tension avec l'Inde a dominé toute la conversation. Les assaillants du Parlement indien étaient-ils liés de près ou de loin au Pakistan ? Là-dessus, les avis divergeaient mais tout le monde s'accordait à penser que l'Inde allait essayer de nous infliger les plus grandes pertes possibles et que l'Amérique, malgré le soutien que nous lui avions apporté en Afghanistan, ne ferait rien pour nous aider. L'armée indienne avait déjà décrété la mobilisation générale et notre pays commençait à réagir : on m'a ainsi décrit les convois de camions qui traversaient Lahore, chargés de munitions et de ravitaillement pour nos troupes massées à la frontière, et pendant tout le dîner nous avons entendu le vrombissement des hélicoptères militaires volant très bas au-dessus de la ville. Il se disait aussi que la circulation allait bientôt être suspendue sur la principale autoroute locale afin que nos pilotes de chasse s'entraînent à se poser dessus au cas où l'ensemble des pistes d'aviation du pays seraient détruites dans un premier échange nucléaire.

En tant que citoyen d'un pays qui, à part de rarissimes attaques surprises ou de non moins exceptionnelles provocations terroristes, n'a pas eu à combattre sur son propre sol depuis des siècles, vous aurez sans doute du mal à imaginer ce qu'est la vie quotidienne tout près d'une armée d'un million d'hommes, ou plus, qui n'attend qu'une occasion pour tenter de déclencher une invasion massive. Mon frère s'est mis à astiquer sa carabine, l'un de mes oncles à stocker conserves et bouteilles d'eau minérale, notre jardinier à mi-temps a été rappelé avec son régiment de réservistes, mais pour le reste les gens ont continué leur routine habituelle. Dernière grande agglomération dans une succession de pays musulmans qui s'étendait aussi loin à l'ouest que le Maroc, Lahore manifestait la bravade tranquille propre aux villes frontières.

Quant à moi, j'étais inquiet, irrité par notre désorganisation et notre vulnérabilité face aux tentatives d'intimidation de notre voisin oriental, certes plus puissant que nous. D'accord, nous avions l'arme nucléaire, nous aussi ; d'accord, nos soldats tiendraient bon, mais il n'empêche que nous avions été menacés, une fois de plus, et je ne pouvais rien faire d'autre en réponse que me tourner et me retourner dans mon lit, incapable de trouver le sommeil. N'allais-je pas repartir bientôt, d'ailleurs, laissant ma famille et ma maison derrière moi ? Je me reprochais d'être un lâche, voire un traître, car quel homme digne de ce nom abandonnerait les siens dans de pareilles circonstances ? Et qu'est-ce que je préférais à mon peuple ? Un emploi bien payé, une femme que j'aimais mais qui ne daignait même pas me revoir ? Toutes ces questions ne cessaient de se télescoper dans ma tête.

Quand le moment est venu pour moi de retourner à New York, j'ai annoncé à mes parents que je désirais rester mais ils n'ont rien voulu entendre. Sentaient-ils que j'étais moi-même déchiré, qu'une force me poussait à rentrer en Amérique ? Ou bien préféraient-ils simplement savoir leur fils à l'abri ?

« N'oublie pas de te raser, avant de repartir, m'a recommandé ma mère.

— Pourquoi ? » ai-je demandé et, montrant mon père et mon frère d'un signe : « Ils portent la barbe, eux.

— Eux ? C'est juste pour essayer de faire oublier qu'ils sont presque chauves. Et en plus, tu n'es encore qu'un garçon, toi. » Elle a passé ses doigts sur les poils qui hérissaient ma joue. « Avec ça, tu ressembles à un petit rat ! »

Dans l'avion du retour, j'ai remarqué que nombre de mes compagnons de voyage avaient le même âge que moi ; encore étudiants ou entrés depuis peu dans la vie active, ils regagnaient l'Amérique après les vacances. J'ai vu là une amère ironie : quand la guerre menace, ce sont les enfants et les personnes âgées que l'on doit envoyer loin du danger, théoriquement, mais dans notre cas c'était les plus robustes et les plus alertes qui s'en allaient, ceux que l'on aurait jadis attendus sur les premières lignes du front. J'ai été envahi d'un tel dégoût de moi-même que j'ai été incapable de lier conversation avec mes voisins, ou d'avaler quoi que ce soit. Les yeux fermés, j'ai attendu

136

qu'une morne léthargie me rende imperméable à la honte de la fuite.

Comment ? Vous dites que vous connaissez bien l'anxiété qui précède l'explosion d'un conflit armé, sir ? Tiens, tiens ! Donc vous avez servi sous les drapeaux, ainsi que je le supposais ! Alors, conviendrez-vous avec moi que l'attente de ce qui se prépare est l'aspect le plus difficile de cette situation ? Oui, oui, certes, pas aussi pénible que le carnage lui-même, c'est sûr, et votre objection est celle d'un vrai soldat… Mais vous ne mangez plus, je vois – parce que vous n'avez plus de pain, j'imagine ? Voici, prenez la moitié du mien. Si, si, j'insiste ! Notre serveur va nous en rapporter derechef.

Étant donné votre expérience, nul doute que vous avez connu l'étrange sensation que l'on éprouve en retrouvant un endroit marqué par une paix relative après en avoir quitté un autre où la perspective d'un terrible bain de sang pèse à chaque instant. La transition est – comment dirais-je – plutôt déstabilisante. En ce qui me concerne, mes collègues ont accueilli ma réapparition au siège d'Underwood Samson avec une consternation souvent déguisée mais néanmoins patente, car en dépit des recommandations de ma mère, et des risques auxquels je savais m'exposer ainsi quand il me faudrait passer le filtre d'immigration à l'aéroport, je n'avais pas rasé ma barbe de quinze jours. Était-ce une forme de protestation, une proclamation identitaire, ou bien voulais-je me rappeler symboliquement le pays que je venais de quitter ? Je ne saurais dire aujourd'hui quelles étaient mes motivations précises. Ce qui est sûr, c'est que je ne souhaitais plus me fondre au sein de l'armée de jeunes diplômés rasés de près à laquelle j'avais voulu appartenir, et qu'il y avait au fond de moi, provoquée par de multiples raisons, une très grande colère.

L'effet d'une barbe sur vos compatriotes, surtout quand elle est portée par quelqu'un de basané comme moi, est un phénomène extrêmement intéressant. Chacun est pourtant maître de son système pileux, ne trouvez-vous pas? Dans le métro, où il m'avait toujours paru que je n'attirais pas démesurément l'attention, j'ai été soudain exposé aux agressions verbales de parfaits inconnus; au bureau, ma présence est devenue du jour au lendemain le sujet d'apartés à voix basse et de regards en biais. Wainwright, lui, a tenté de me donner un conseil amical.

« Dis donc, mec? Je sais pas ce que tu recherches exactement, avec cette barbe que tu te paies, mais je crois pas que ce soit bon pour ta cote de popularité, ici.

— Là d'où je viens, c'est très banal, ai-je argumenté.

— Ouais? Le cari de poulet est vachement banal, là d'où je viens, mais je me tartine pas la figure avec. À ta place, je ferais gaffe, mon vieux. Tout ce vernis libéral-tolérant, ça va pas très profond. Crois-en mon expérience. »

Si j'ai été reconnaissant à mon ami de sa sollicitude, je ne me suis pas rangé à son avis. Comme l'activité de notre firme continuait à décroître et que le travail se faisait rare bien que notre équipe eût été réduite, j'ai passé le mois de janvier à attendre à mon bureau, profitant de cette inaction pour surfer sur Internet à la recherche d'informations concernant la tension entre l'Inde et le Pakistan, d'analyses du rapport de forces dans la région et des divers scénarios militaires possibles, d'évaluations quant aux conséquences négatives que ce bras de fer commençait à avoir sur la situation économique des deux pays. Je me demandais aussi pourquoi l'Amérique, capable de semer la pagaille dans le monde entier, de déclencher une guerre ouverte en Afghanistan, de légitimer l'invasion de pays plus faibles par des voisins plus puissants – ce que l'Inde se proposait de faire avec le Pakistan –, semblait avoir si peu d'influence dans le dénouement de cette crise.

Après m'être forcé pendant un mois et demi à ne pas la contacter, j'ai finalement appelé Erica, et comme son téléphone était toujours éteint j'ai tenté ma chance avec un e-mail. J'aimerais pouvoir dire que ce message était très court, une façon polie de me manifester tout en respectant son souhait d'interrompre notre relation, mais la vérité est que sa rédaction m'a pris plusieurs heures et qu'il était sans doute le plus long que j'aie jamais écrit. Je lui racontais ce qui m'était arrivé au travail et dans mon pays, la tourmente par laquelle j'étais en train de passer ; je lui disais à quel point elle me manquait, et que je ne comprenais pas où elle était partie, ni pourquoi. Il lui a fallu quelques jours pour répondre. « Je suis dans une sorte de clinique, m'expliquait-elle, un centre où l'on vient pour "se retrouver". Moi aussi, je pense à toi. » Elle continuait en me proposant de lui rendre visite, car il serait plus facile pour elle de répondre à mes questions de vive voix.

À quelques heures de route de Manhattan, la clinique était une ancienne maison de vacances sise au milieu de vingt-cinq hectares de bois et de pâtures surplombant les rives de l'Hudson. Une infirmière est venue vers moi dès que je suis arrivé à la réception.

« Vous devez être Tchenguiz, a-t-elle lancé. Erica m'a beaucoup parlé de vous.

— En effet. Comment avez-vous deviné ?

— "Des cils de Barbie." C'est ce qu'elle m'a dit. »

Pendant que je méditais cette surprenante description, elle m'a informé qu'Erica m'avait d'abord attendu mais qu'elle s'était sentie un peu nerveuse et avait décidé d'aller marcher un moment, après avoir chargé l'infirmière de me donner quelques explications de sa part.

« Alors je ne la verrai pas ? me suis-je désolé.

— Mais si, mon joli ! a-t-elle répliqué en souriant. Simplement, les gens se sentent parfois gênés, quand ils séjournent dans un centre comme celui-ci. Elle a pensé que ce serait plus facile pour elle et pour vous si je vous parlais d'abord. » Elle m'a tapoté gentiment la main. « Disons que je suis la douche que l'on prend avant de sauter dans la piscine, hein ? »

Ce que je devais comprendre à propos d'Erica, m'a annoncé l'infirmière, c'est qu'elle était amoureuse de quelqu'un d'autre. Ce n'était pas agréable à entendre, évidemment, mais il le fallait. Peu importait que la personne dont elle était amoureuse soit, pour tout le monde, décédée : pour elle, ce garçon était bien assez vivant et c'était le cœur du problème. Erica avait du mal à fonctionner dans le monde parce que ce qu'elle vivait dans son imagination était beaucoup plus important pour elle que ce qu'elle aurait pu connaître avec les autres, avec les êtres normaux comme l'infirmière et moi. C'est pour cela qu'elle se plaisait dans ce centre, cet univers séparé du reste d'entre nous où les patients pouvaient s'abandonner à leur vie intérieure sans en éprouver de culpabilité.

« Mais elle devra bien sortir d'ici un jour ou l'autre, ai-je argumenté, et là elle voudra peut-être vivre avec moi ?

— Peut-être, mon grand, a-t-elle concédé sans avoir l'air convaincue, mais pour l'instant vous êtes celui qu'elle a le plus de difficulté à voir. Celui qui dérange le plus son petit monde. Pourquoi ? Parce que vous êtes le plus réel, et pour cette raison vous menacez son équilibre. »

Elle m'a alors appris que je trouverais sans doute Erica au bout d'un chemin qui serpentait à travers les bois et débouchait sur une petite clairière au sommet d'une colline. Et elle était en effet là-bas, assise sur un banc fait de branches non équarries, serrée dans une veste molletonnée. Elle s'est tournée vers moi en m'entendant approcher. Son visage était émacié, la peau presque bleuâtre là où les os la tendaient, avec une expression exaltée qui rappelait la ferveur d'une pénitente. Elle m'a tendu une main que j'ai baisée au lieu de la serrer, posant mes lèvres sur les polymères synthétiques de sa moufle.

« Tu es très mignon comme ça, a-t-elle déclaré en souriant. La barbe met tes yeux en valeur. »

Moi, je me suis dit qu'elle ressemblait à une dévote qui parvient à la fin du mois de jeûne et qui s'est telle-ment absorbée dans la prière et la lecture du livre saint qu'elle a négligé de se sustenter correctement après la tombée de la nuit. Mais j'ai gardé cette réflexion pour moi.

Elle s'est levée, m'a offert son bras, et nous nous sommes lentement mis en route, conversant à voix basse, précédés par les volutes blanches que notre haleine créait dans l'air glacé.

« C'est un endroit très bien pour moi, en ce moment, a-t-elle affirmé. Je me sens très calme, ici.

— Tu en as l'air », ai-je confirmé tout en luttant pour ne pas ajouter : « *Trop* calme, même. »

« Je suis désolée d'avoir disparu comme ça, a-t-elle continué. Ce n'est pas que je ne voulais pas te voir, au contraire, mais je sentais que j'étais en train de t'entraîner et je ne voulais pas que tu en pâtisses. J'ai pensé que ce serait mieux pour toi, tu comprends ?

— Pourquoi en aurais-je pâti ?

— Parce que c'est dur, quand on tient à quelqu'un et que ce quelqu'un s'en va…

— Mais où t'en vas-tu ? » ai-je insisté.

Elle s'est contentée de hausser les épaules.

Nous avons continué à marcher dans un silence seulement troublé par les craquements de la neige sous nos semelles. Mes oreilles commençaient à me brûler, à cause du froid.

« Tu écris, ici ? me suis-je enquis.

— Non, a-t-elle répondu. Pas au sens de mettre des mots sur le papier. Mais je réfléchis beaucoup. Mon imagination travaille énormément.

— Est-ce que j'apparais parfois dans ce que tu imagines ?

— Parfois, oui, a-t-elle confirmé en souriant.

— Sous quelle forme ? Pas de fantasmes sexuels impliquant un étranger ténébreux enclin aux jeux de rôles ? »

Elle a éclaté de rire, m'a serré le bras plus fort ; pour la première fois, son expression s'est adoucie et elle a paru presque vulnérable, mais aussitôt après elle s'est à nouveau murée en elle-même.

« Tu m'as aidé, toi, a-t-elle murmuré. Tu as été gentil et honnête. Je t'en suis reconnaissante. »

Ce qui m'a le plus frappé dans cette dernière affirmation, c'est qu'elle avait délibérément parlé de moi au passé. Du coup, ce qui me restait d'espoir s'est étiolé en moi et c'est sans conviction que j'ai plaidé :

« La vie continue, non ? Pourquoi ne pas revenir à New York avec moi ? »

Elle a posé un instant sa tête sur mon épaule sans se donner la peine de répondre. Tandis que nous revenions à la bâtisse, je l'ai dévisagée du coin de l'œil, me demandant dans quelle mesure son détachement ascétique était dû au traitement qui lui était administré. Pendant quelques minutes, j'ai été tenté par une folle impulsion de l'entraîner vers ma voiture de location et de l'enlever. Je ne doutais pas que mes soins seraient autrement plus efficaces pour la ramener à la réalité que les substances chimiques auxquelles elle était soumise ici. L'absurdité et la fatuité de cette idée me sont cependant vite apparues.

« Tu sais skier ? m'a-t-elle brusquement demandé.

— Non, je n'ai jamais essayé.

— Chris et moi, on skiait chaque hiver. Dans le Colorado, ou parfois le Vermont. On avait appris ensemble à Central Park, quand on était gamins. Il avait reçu une paire de skis en cadeau et on était allés les essayer sans rien dire à personne. Nos parents avaient eu une peur bleue, ils avaient prévenu la police et on s'est bien fait disputer, après, mais ça avait été un moment formidable. C'est ce que me rappelle cet endroit, surtout ce flanc de colline, là... La pente paraît tellement douce, la neige si souple. Tu devrais aller skier, un jour.

— Tu devrais m'emmener », ai-je proposé.

Elle a secoué gravement la tête.

« Je ne peux pas, non, mais toi tu devrais essayer. Essaie d'être heureux, d'accord ? Je te demande pardon pour tout. Prends soin de toi, s'il te plaît. »

Elle m'a donné une brève accolade, s'est reculée d'un pas et m'a regardé sans parler. « Mais il est mort, tu comprends, *mort !* » aurais-je voulu crier, et c'est tout ce que j'ai trouvé pour résister à l'envie de l'embrasser, alors. Peut-être aurais-je dû le faire. À cet instant, il me fallait choisir, continuer à essayer de la convaincre ou m'incliner devant sa volonté et m'en aller ; c'est la deuxième option que j'ai retenue et plus tard, sur la route du retour, je me suis demandé si elle n'avait pas cherché à mettre mon dévouement à l'épreuve, si je ne l'avais pas déçue, si je n'aurais pas dû prendre le risque… J'ai failli faire demi-tour mais je me suis retenu. La suite aurait pu être différente si j'étais revenu à elle, ou bien elle aurait pu être exactement pareille.

Après cette journée, je n'ai pas fait très bonne figure, au bureau. Irrité, rongé d'inquiétude pour Erica et pour mon pays, je bâclais mon travail routinier et je n'ai rien fait pour obtenir une nouvelle mission. Je m'attendais sans cesse à voir atterrir sur ma table une lettre de licenciement qui me donnerait le coup de grâce tant attendu, mais quand Jim m'a finalement convoqué cela a été, étonnamment, pour me manifester son approbation.

« Écoutez, mon garçon, a-t-il commencé, il y a des gens ici qui pensent que vous avez adopté un drôle de style, avec cette barbe et tout. Franchement, moi, je m'en fous. Ce qui m'importe, ce sont vos résultats, et vous êtes de loin le meilleur consultant de votre génération chez nous. De plus, je sais que ce qui se passe actuellement au Pakistan n'est pas facile, pour vous. Ce qu'il vous faut, c'est vous occuper l'esprit, et j'admets que ce n'est pas évident en ce moment, avec le peu d'ouvertures que nous avons. Mais il se trouve que je viens de prendre un projet, l'audit d'une maison d'édition à Valparaiso, au Chili. Équipe très limitée : rien qu'un directeur adjoint et un consultant. Normalement, j'aurais proposé le travail à quelqu'un de plus expérimenté que vous mais voilà, c'est à vous que je le confie. Qu'en pensez-vous ?

— Eh bien, merci », ai-je murmuré.

Il a eu un rire ironique.

« De grâce, un peu plus d'enthousiasme ! C'est une grosse responsabilité, vous savez. Vous opérerez tout seul, sans filet.

— Je ne vous décevrai pas », ai-je promis avec ce que j'espérais être une évidente sincérité.

Je ne sais si je l'ai entièrement convaincu, toutefois, car bien qu'il m'ait souri en réponse Jim n'a pu cacher une expression étonnée.

Mais quoi, vous ne mangez plus, sir ? Seriez-vous rassasié ? Très bien, je n'insiste pas, mais je vais nous commander un dessert, tout de même. Riz au lait parfumé à la cannelle et saupoudré d'amandes pilées, une petite douceur qui vient à point nommé alors que la soirée que nous partageons s'apprête à prendre un tour nettement plus sombre. J'imagine qu'en temps normal vous n'êtes pas friand de sucreries mais je vous encourage à y goûter, sincèrement. Après tout, j'ai lu quelque part que les soldats de votre pays partent au combat avec du chocolat dans leur ration, et donc l'idée de vous adoucir la bouche avant d'accomplir même la plus sanglante mission ne doit pas vous paraître totalement saugrenue, n'est-ce pas ?

10

Lorsque vous vous tenez de cette manière, sir, le bras passé sur le dossier de la chaise inoccupée près de vous, une bosse se forme sous le tissu léger de votre costume d'été, exactement à l'endroit, parallèle au sternum, où les agents en civil de votre pays – de tous les pays, semble-t-il – aiment à dissimuler un holster pour leur arme de poing. Non, non, je vous en prie, ne rectifiez pas votre position pour moi ! Je ne voulais en aucune manière insinuer que vous étiez équipé de la sorte ; dans votre cas, il s'agit sûrement de l'un de ces solides portefeuilles dans lesquels les voyageurs avisés rangent ce qu'ils ne veulent pas laisser à portée de main des pickpockets.

En partant au Chili, je n'ai moi-même pas eu recours à de telles précautions. Cette fois encore, nous avons eu droit au confort relatif de la cabine de première classe, mais un tel luxe ne produisait plus guère d'effet sur moi. Contrairement à Jim qui, fidèle à ses habitudes, avait tenu à nous accompagner dans le lancement de notre mission, et au directeur adjoint, sous l'autorité duquel j'allais être placé tout au long de la mission, j'ai décliné le champagne que notre hôtesse nous proposa à maintes reprises. Pendant ce long voyage, je n'ai pas dîné ni dormi. Mes pensées étaient accaparées par un continent qui n'était pas celui que nous survolions et, plus d'une fois, j'ai regretté d'avoir accepté de partir.

Je me demandais aussi ce que je pouvais faire pour venir en aide à Erica. De l'avoir vue aussi affaiblie et détachée lors de notre ultime rencontre, aussi peu *en vie*, ne cessait de m'affliger. Je me suis souvenu du chien que j'avais eu dans mon enfance, de sa passivité et de la manière qu'il avait de rechercher la solitude au cours de ses derniers jours, avant qu'il ne succombe à la leucémie provoquée par un talc contre les tiques qu'un vétérinaire devait, un peu tard, nous recommander de ne jamais utiliser. Mais Erica n'était pas atteinte de leucémie ; sinon une prédisposition biochimique à des désordres mentaux de ce type, peut-être, il n'y avait pas de cause physique à l'aggravation de son état. Non, c'était son esprit qui était malade et je n'arrivais pas à accepter, moi qui venais d'une culture où le mysticisme inspirait tant de pratiques collectives, que son psychisme ne pût pas être influencé par l'attention, l'affection ou le désir de ceux qui l'entouraient. Je me répétais qu'il était essentiel de comprendre pourquoi je n'avais pas réussi à percer la membrane derrière laquelle elle préservait ses pensées ; si mes tentatives les plus directes avaient été repoussées, me disais-je, je finirais peut-être par être accepté à la faveur d'un processus plus subtil, grâce à une sorte d'osmose progressive. Il fallait essayer, de toute façon. Abandonner me paraissait inconcevable, car malgré des mois de séparation presque complète la passion qu'elle m'inspirait demeurait intacte.

C'est dans cet état d'esprit que je suis arrivé à Santiago. De là, nous avons continué par la route – un trajet sans encombre à l'exception d'un bref arrêt dû à des travaux de réparation, les bulldozers déchiquetant la terre d'un rouge intense qui caractérise la vallée centrale du Chili – puis, avant même d'avoir pu l'apercevoir, nous avons humé notre destination, car Valparaiso, bâti au bord du Pacifique et baigné par l'haleine iodée de l'océan, est dissimulé derrière une barrière montagneuse.

Le patron de la maison d'édition était un homme âgé répondant au prénom de Juan-Bautista qui fumait d'innombrables cigarettes sans filtre et portait des lunettes aux verres tellement épais que les rayons de soleil passant au travers auraient pu mettre le feu à une feuille de papier. J'ai éprouvé une tendresse immédiate envers lui, sans doute parce qu'il m'a beaucoup rappelé ma grand-mère maternelle.

« Vous vous y connaissez, en livres ? nous a-t-il demandé d'emblée.

— Je suis spécialiste de l'industrie de la communication, a répondu Jim. Dans les vingt dernières années, j'ai étudié le fonctionnement d'une bonne douzaine de maisons comme la vôtre.

— Ça, c'est du business, a rétorqué Juan-Bautista. Je parlais de *livres*, moi.

— L'oncle de mon père était un poète réputé dans tout le Pendjab, ai-je déclaré impulsivement. Dans ma famille, on aime les livres. »

Le Chilien m'a regardé comme s'il venait de découvrir la présence de ce petit jeunot dans son bureau. Je n'ai plus dit un mot pendant tout le reste de l'entretien.

Quand nous l'avons quitté, Jim nous a expliqué que Juan-Bautista n'appréciait pas notre venue. Bien qu'à la tête de la société depuis très longtemps, ce n'était pas lui qui tenait les cordons de la bourse ; or, les propriétaires voulaient se défaire de la maison d'édition et son acheteur potentiel, notre client, n'avait pas l'intention de continuer à soutenir la production littéraire, activité de prestige qui absorbait la plupart des bénéfices générés par les publications scolaires ou techniques. Il nous appartenait d'estimer la valeur réelle de l'affaire au cas où ce bois mort serait retiré.

Nous nous sommes installés dans une belle salle de conférences un peu défraîchie, dont les murs tapissés de livres encerclaient une grande table ovale. Quand la brise marine se levait, j'entendais les volets extérieurs trembler sur leurs gonds. Comme nous étions arrivés pendant l'été de l'hémisphère Sud, les après-midi étaient chauds mais la journée pouvait commencer dans un brouillard glacé qui me faisait me féliciter d'avoir pris mon costume en laine peignée. Jim est reparti au bout de deux jours, non sans avoir indiqué en ma présence au directeur adjoint qu'il pouvait attendre de moi des performances exceptionnelles. Quand je me suis assis devant mon ordinateur portable, cependant, la connexion Internet établie, mon stylo et mon carnet de notes à portée de main, j'ai découvert que j'étais incapable de me concentrer sur notre mission.

Au lieu de me mettre au travail, je parcourais les sites d'informations internationales, apprenant ainsi que l'Inde et le Pakistan s'étaient lancés dans une escalade d'essais de missiles balistiques, que les diplomates internationaux se succédaient dans les deux capitales pour demander à Delhi de renoncer à sa rhétorique belliqueuse et à Islamabad de consentir à des concessions afin de mettre un terme à cette double course à la catastrophe. À nouveau, sir, je m'interrogeais sur le rôle de votre pays dans cette crise : avec des bases déjà établies au Pakistan pour la poursuite de son intervention en Afghanistan, ne suffisait-il pas à l'Amérique de prévenir l'Inde que toute agression contre mon pays serait considérée comme un geste hostile envers un allié et recevrait une réponse aussi vigoureuse que l'écrasante supériorité de la machine de guerre américaine le laissait prévoir ? Et pourtant les États-Unis, loin d'adopter cette démarche, affichaient une neutralité obstinée entre deux adversaires prêts à s'affronter, ce qui bien sûr ne pouvait que favoriser le plus puissant et – du moins à cette époque – le plus agressif des deux.

Alors que j'aurais dû être en train de réunir des données et de préparer des projections financières, mes pensées retournaient sans cesse à ces menaces de guerre, et Valparaiso se révélait aussi une source de distraction avec son ambiance très particulière, la subtile mélancolie qui flottait sur ses boulevards et ses collines. Toujours par Internet, j'ai commencé à me documenter sur son histoire et découvert ainsi que le déclin de ce qui avait été un port d'importance mondiale durait maintenant depuis plus d'un siècle, que son prestige de dernière escale pour les navires passant du Pacifique à l'Atlantique lui avait été ravi non par ses rivaux mais par la percée du canal de Panama. Dans cette grandeur enfuie, ces promesses restées inaccomplies, Valparaiso me rappelait Lahore et aussi ce proverbe qui sonne si bien dans notre langue, sir : « À ses ruines, on voit combien l'édifice était beau. »

J'ai senti que mon comportement contrariait de plus en plus le directeur adjoint, ce qui était très compréhensible car le pauvre bougre s'échinait nuit et jour sans recevoir d'aide notable de son seul et unique coéquipier. J'ai fait semblant de m'absorber dans mon travail mais, voyant le temps passer et mes résultats stagner, il a fini par perdre patience.

« Dites donc, vous ! a-t-il explosé un matin. C'est quoi, votre problème ? Vous vous tournez les pouces, ou quoi ? On m'avait dit que vous étiez super-bon, OK, mais ce que je vois en résultats, c'est peau de lapin ! Dites-moi ce qui ne va pas. Vous voulez de l'aide sur le profil financier, vous voulez plus de directives ? Vous n'avez qu'à demander et je ferai tout ce que je peux mais pour l'amour du Ciel, secouez-vous ! »

C'était un cadre qui jouissait d'une excellente réputation mais la communication humaine, entre nous, était proche de zéro ; au lieu de lui exposer franchement le trouble intérieur qui était le mien, je l'ai prié de m'excuser, je l'ai remercié de m'avoir remis sur les rails et je lui ai promis qu'il ne devrait plus s'inquiéter car j'allais redoubler d'efforts. Et, avec le ton le plus assuré que je parvins à trouver, j'ai conclu :

« N'ayez crainte. Tout est parfaitement sous contrôle. »

Ce qui a semblé le satisfaire un temps, même si c'était un mensonge patent. Mais je savais qu'il s'était mis à m'en vouloir, et encore une fois avec les meilleures raisons du monde : en ne respectant pas notre programme, je lui faisais perdre la face. Quant à moi, j'étais en train de perdre rapidement l'estime que j'avais pu avoir pour lui, trouvant de plus en plus ridicule son immersion obsessionnelle dans un microcosme professionnel qui était son seul horizon. Certes, j'avais moi aussi puisé inspiration et encouragement dans le culte du travail professé par notre cabinet, mais je discernais désormais qu'en nous focalisant autant sur un avenir financièrement radieux nous passions à côté de paramètres personnels et politiques déterminants dans la définition du présent. En d'autres termes, mes œillères étaient en train de tomber et je restais cloué sur place, ébloui par la soudaine ouverture de mon champ de vision.

Tandis que je me traînais à contrecœur d'une réunion à l'autre, j'ai remarqué que Juan-Bautista m'observait avec attention. Comme il gardait la porte de son bureau ouverte, il avait de sa place une vue complète du couloir, et un jour que je passais par là il m'a hélé.

« J'ai un peu étudié la question des poètes du Pendjab contemporains, m'a-t-il déclaré. Comment s'appelait l'oncle de votre père, donc ? »

Quand j'ai mentionné son nom, il a approuvé du bonnet : il l'avait vu cité dans une anthologie qui avait été traduite en espagnol, information qui m'a agréablement surpris. Sans me laisser le temps de la commenter, il a continué :

« Vous avez l'air très différent de vos collègues, vous savez ? On dirait que vous êtes un peu… perdu.

— Pas du tout, ai-je protesté, d'abord sur la défensive. Mais j'avoue que Valparaiso a beaucoup d'effet sur moi. »

Il m'a alors conseillé de visiter la maison où Pablo Neruda avait vécu, précisant qu'il faudrait que j'y aille pendant la journée car elle était fermée le soir, et notre bref échange s'est terminé ainsi.

Je n'ai jamais pu savoir pourquoi Juan-Bautista avait décidé de s'intéresser particulièrement à moi. Avait-il en lui de telles réserves de sympathie qu'il avait discerné le dilemme auquel je faisais face et avait résolu de m'aider à le surmonter ? Ou bien avait-il repéré en moi le maillon faible parmi ses ennemis ? Ou bien s'agissait-il d'un simple hasard ? J'aimerais croire que la première explication était la bonne mais quoi qu'il en soit il allait apporter une considérable stimulation à mon aventure introspective, laquelle se poursuit encore aujourd'hui...

Ah, je vais trop vite en besogne, et puis notre dessert vient d'arriver ! Notre serveur n'a apporté qu'un bol, vous le constatez, parce que j'ai deviné que vous ne voudriez pas plus que goûter ; moi-même, je me contenterai de quelques bouchées car en vérité je suis repu. Eh bien, qu'en pensez-vous, sir ? Hélas, cette moue qui gonfle vos lèvres n'est pas de bon augure. Trop sucré, dites-vous ? La remarque est intéressante, étant donné que j'ai pour ma part toujours trouvé que votre pays partageait avec le mien une fixation nationale pour les sucreries. Mais vous n'êtes sans doute pas l'Américain typique, vous, vos voyages vous ayant entraîné loin des bars à crèmes glacées et des distributeurs de sodas que l'on trouve à chaque coin de rue dans votre patrie.

Moi aussi, j'étais bien loin de mes racines en ce mois de janvier dont je vous parle, et cependant la maison de Neruda ne m'a pas semblé aussi éloignée de Lahore qu'elle l'était en termes géographiques. Si elle se trouvait dans l'un des coins les plus retirés de la planète, en imagination elle m'a paru à portée de caravane de ma ville natale, ou d'une nuit à voguer sur le Ravi ou l'Indus. Après avoir raconté à mon supérieur que j'allais inspecter les installations du diffuseur qui s'occupait des livres de Juan-Bautista, je suis parti dans les montagnes, toujours plus haut jusqu'à ce que je m'aperçoive en me tournant vers l'océan que les mouettes volaient à la même altitude que la mienne. C'était un faubourg pauvre de Valparaiso, où les fresques murales avaient l'air de graffiti bariolés et où les enfants jouaient à la course dans des cageots sommairement montés sur roues. La maison elle-même était très belle, évoquant un navire lancé à travers la baie, avec un jardin en terrasses qui cascadait autour d'elle. À l'intérieur, derrière le bar, Neruda avait installé un miroir déformant qui lui servait à convaincre ses invités qu'ils avaient trop bu. M'attardant sur la terrasse, j'ai regardé le soleil descendre à l'horizon. Non loin, quelqu'un jouait de la guitare, une mélodie délicate, sans paroles.

J'ai à nouveau pensé à Erica, et pour la première fois je me suis dit que si mes tentatives d'établir une communication sérieuse avec elle avaient échoué, c'était peut-être en partie à cause de ma propre indécision sur de nombreuses questions fondamentales. Je manquais de *substance*, voilà tout. Je ne savais pas vraiment quelle était ma place : New York ? Lahore ? Les deux ? Ni l'un ni l'autre ? Et c'était pour cette raison que je n'avais rien eu de tangible à offrir à Erica quand elle avait voulu m'appeler à son aide. Cela expliquait aussi l'empressement avec lequel j'avais accepté de jouer le rôle de Chris, sans doute, parce que ma personnalité était tellement mal définie. Mais ce faisant j'avais renoncé à présenter une échappatoire à la nostalgie chronique qui la rongeait et j'avais même probablement ajouté à l'état de confusion dans lequel elle se trouvait. J'ai décidé de lui écrire un e-mail où je reconnaissais mes torts et où je lui proposais de renouer le dialogue qu'elle avait unilatéralement suspendu. Je me rappelle avoir cliqué sur la touche d'envoi sans même le relire.

Plusieurs jours se sont écoulés sans réponse et j'en suis venu à ne plus en espérer. Lorsque je les ai appelés, mes parents m'ont appris que la situation demeurait très précaire au Pakistan, que des rumeurs circulaient quant à une collusion entre l'Inde et l'Amérique, l'une et l'autre puissance essayant d'infléchir la politique de notre pays sous la menace d'un conflit. Par ailleurs, les vieux tuyaux d'alimentation en eau de notre maison, qui auraient dû être changés depuis longtemps, avaient fini par lâcher et la pression était désormais si basse qu'il était impossible de prendre des douches et qu'il fallait se laver avec un seau et une louche. Ces tracas ont été l'occasion pour moi de ressasser l'absurdité qu'il y avait à me trouver séparé de chez moi par deux hémisphères – si on peut l'exprimer ainsi – à un moment où ma famille était en difficulté.

Le seul moyen de les aider était de leur envoyer de l'argent, pour l'heure, et c'est ce que je me suis hâté de faire, transférant les quelques économies qui me restaient sur le compte de mon frère, car mon père refusait catégoriquement d'accepter la moindre somme. Téléphoner à ma banque pour commander le virement aurait dû me rappeler l'importance de garder un emploi et un salaire confortable, puisque c'était là ma seule et unique source de revenus ; au contraire, ma démobilisation professionnelle s'est encore aggravée. Comme il n'était plus possible de leurrer le directeur adjoint, mes manquements sont devenus de plus en plus criants, et ses réprimandes toujours plus cinglantes. Avec le recul, je me demande pourquoi il n'a pas demandé à Jim de me relever sur-le-champ, bien que cela ne soit pas vraiment surprenant : malgré le suffixe d'adjoint, un directeur de projet, chez Underwood Samson, devait se montrer aussi autonome que possible, veiller par lui-même à ce que le volume de travail attendu soit accompli coûte que coûte, de sorte qu'alerter prématurément son supérieur aurait pu entamer la confiance que celui-ci lui portait.

Pour ma part, j'étais de toute évidence à l'orée d'une mutation majeure ; il ne manquait plus qu'un catalyseur, lequel s'est présenté sous la forme d'un déjeuner. L'invitation de Juan-Bautista m'a pris complètement par surprise : un jour, alors que je passais devant son bureau, il a remarqué que ce serait un crime d'avoir séjourné à Valparaiso sans avoir essayé le bar cuit en croûte de sel et que, si j'étais libre cet après-midi, je devais l'accompagner à son restaurant préféré, où il se disposait à se régaler de cette spécialité locale. Par politesse, par curiosité et parce que n'importe quel prétexte était bon pour fuir l'atmosphère empoisonnée de mes tête-à-tête avec mon chef, j'ai répondu que j'en serais très honoré. Quelques minutes plus tard, je me suis retrouvé à déambuler dans les rues du port légendaire en compagnie d'un homme dont le plus ardent désir était que les projets d'acquisition caressés par notre client restent sans lendemain.

Coiffé d'un chapeau et armé d'une canne, Juan-Bautista marchait si lentement que le droit de traverser une rue à New York aurait pu lui être refusé. Une fois installés à une table, il a commandé pour nous deux, m'a dévisagé en prenant son temps et m'a confié :

« Je vous observe depuis le début, jeune homme, et je crois qu'il n'est pas exagéré de dire que vous n'avez pas l'air content de vous. Puis-je vous poser une question plutôt personnelle ?

— Mais certainement, ai-je répondu.

— Est-ce que vous vous satisfaites de gagner votre vie en allant troubler celle des autres ?

— Nous ne faisons qu'évaluer, me suis-je défendu. Ce n'est pas nous qui décidons s'il faut vendre, ou acheter, et nous n'avons aucun pouvoir sur ce qu'une entreprise deviendra une fois que nous l'avons analysée. »

Tout en hochant la tête, il a allumé une cigarette, bu une gorgée de vin.

« Les janissaires, ça vous dit quelque chose ? m'a-t-il interrogé.

— Non, ai-je avoué.

— Les janissaires étaient de jeunes chrétiens faits prisonniers par les Turcs et entraînés à devenir soldats de l'armée de l'Islam, à l'époque la force militaire la plus considérable au monde. Ils étaient d'une férocité et d'une loyauté sans égale. Ils se battaient pour rayer de la carte la civilisation dont ils étaient issus, donc il n'y avait pas de retour en arrière possible, pour eux. » Il a fait tomber la cendre de sa cigarette sur une petite assiette. « Quel âge aviez-vous, quand vous êtes parti en Amérique ?

— J'entrais à l'université, j'avais dix-huit ans.

— Beaucoup plus âgé qu'un janissaire ! Eux, ils étaient pris encore enfants. Il aurait été beaucoup plus difficile d'obtenir un dévouement sans partage à leur empire d'adoption s'ils avaient conservé des souvenirs durables de ce qu'ils avaient connu auparavant, voyez-vous. »

Avec un sourire entendu, il a abandonné le sujet et notre déjeuner a été servi peu après. Le poisson était sans doute aussi délectable qu'il l'avait affirmé, mais je regrette de dire que je ne m'en rappelle plus du tout le goût.

À votre expression, sir, je crois deviner que le scepticisme vous étreint. Vous me demandez si cette conversation a vraiment eu lieu ? Voire si ce fameux Juan-Bautista a jamais existé en dehors de mon imagination ? Faites-moi confiance, je vous en conjure ! Je ne suis pas enclin aux inventions ni aux faux-semblants, et même si je l'étais il n'y aurait de raison pour que ce que je viens de vous rapporter soit moins vraisemblable que ce que je vous ai raconté avant. Allons, s'il vous plaît, nous avons désormais partagé trop de choses pour, à ce stade, commencer à soulever des objections de cette nature.

Quoi qu'il en soit, les paroles de Juan-Bautista m'ont considérablement touché. Plus que jamais en proie à l'autocritique, j'ai passé la nuit suivante à questionner ce que j'étais devenu, et la réponse m'a paru incontournable : j'étais un janissaire moderne, un sujet de l'empire américain alors que celui-ci venait d'envahir un pays lié au mien et complotait peut-être en vue de soumettre ma patrie à la menace d'une guerre. Pas étonnant que je me sente déchiré, ulcéré ! J'avais lié mon sort à celui de la clique d'Underwood Samson, des serviteurs aveugles du pouvoir, alors que depuis le début ma sympathie serait plutôt allée à des victimes telles que Juan-Bautista, des êtres dont l'empire se moquait de saccager l'existence s'il pouvait en retirer quelque profit.

Le lendemain matin, avec le masque figé du condamné faisant face au peloton d'exécution – oui, la comparaison est sans doute excessive et même, particulièrement ce soir, lourde de danger, mais vous comprenez ce que je veux dire –, j'ai annoncé au directeur adjoint que je refusais de continuer à travailler. Il en est resté bouche bée, puis s'est exclamé :

« Comment ça, vous refusez ?

— J'en ai terminé, ici. J'ai l'intention de retourner à New York. »

Paniqué, il a organisé à la hâte une conférence téléphonique avec Jim, dont la voix sonnait étonnamment tendue dans le haut-parleur. « Écoutez, mon garçon, je sais que vous avez des problèmes en ce moment, mais nous lâcher maintenant, comme ça, ce serait affaiblir notre entreprise, ce serait faire du tort à toute l'équipe. En temps de guerre, Tchenguiz, un soldat ne se bat pas vraiment pour son drapeau mais surtout pour ses copains, son groupe. Et là, votre équipe vous demande de rester. De tenir bon à votre poste. Après ça, si vous avez besoin d'un break, vous l'aurez ! »

Je dois reconnaître que les arguments de Jim m'ont fait hésiter. Il m'avait toujours inspiré une grande admiration, n'avait jamais douté de moi, et voici que je me disposais à le trahir ! Il faudrait trouver un remplaçant, l'envoyer sur place, le laisser se familiariser avec le dossier, et alors le délai fixé à la mission par notre client serait vraisemblablement dépassé. En me choisissant, Jim m'avait manifesté une confiance et une générosité auxquelles je répondais par une gifle d'autant plus impudente qu'elle retentissait au moment même où notre entreprise traversait une passe difficile. Et puis perdre mon emploi – car telle serait indubitablement la conséquence de mon geste – signifiait aussi renoncer à mon visa et être forcé de quitter les États-Unis. J'ai pourtant résolu d'ignorer toutes ces objections. Je ne voulais pas me demander si cette décision radicale prouvait que j'avais abandonné tout espoir de vivre un jour aux côtés d'Erica. Ce dont j'étais certain, c'était que le temps de me « concentrer sur les principes de base » était révolu. Le lendemain soir, avec quinze jours d'avance sur le programme prévu, je sautais dans un avion en partance pour New York.

Ah ! Notre serveur revient, cette fois avec du thé vert, digestif idéal après un aussi copieux dîner. Il est remarquablement attentionné, ne trouvez-vous pas ? Juste à l'instant où l'on a besoin de lui, il se présente à notre table ! On croirait presque qu'il nous guettait, nous… surveillait. Mais c'est simplement que la nuit est déjà bien entamée, sir, et qu'il ne reste plus d'autres clients pour distraire son attention.

11

Curieux comme l'atmosphère d'un espace public se transforme, dès qu'il se retrouve désert ! Le parc d'attractions abandonné, la salle d'opéra fermée jusqu'au prochain spectacle, l'hôtel soudain silencieux au retour de la morte-saison. Au cinéma, ce sont souvent des décors assignés à des scènes terrifiantes, et il en est de même avec le bazar du vieux Lahore maintenant que ses visiteurs se sont réduits à quelques ombres éparses. Oui, il plane une nuance menaçante sur cette place et ce dédale de ruelles, peut-être à cause des nuages qui ont envahi le ciel, laissant parfois filtrer la lueur spectrale de la lune, ou de ces silhouettes opaques qui s'éloignent en hâte autour de nous ? J'opinerais quant à moi que c'est la sensation de *solitude* qui nous affecte le plus, le constat de nous retrouver presque seuls au cœur d'une ville qui d'habitude grouille de vie humaine. Ah ! Captez-vous l'odeur de poussière apportée par ce vent brûlant, sir ? C'est, venu du sud, le parfum du désert, un effluve qui, dans votre pays, préluderait au passage d'une balle de ronces esseulée à travers une scène en clair-obscur.

Mon état d'esprit pendant le vol de Santiago à New York n'était guère différent de celui qui nous habite en ce moment, et pourtant l'avion était brillamment éclairé et presque complet. Morosité, colère, anxiété dominaient mes pensées. Je me suis fait notamment la réflexion que, sans l'exprimer à voix haute, je n'avais jamais accepté la manière dont l'Amérique se comportait dans le monde, les constantes interférences de votre pays dans les affaires des autres. Le Vietnam, la Corée, Taïwan, le Moyen-Orient et maintenant l'Afghanistan : dans tous les grands conflits et toutes les impasses qui avaient affligé mon continent natal, l'Asie, les États-Unis avaient occupé un rôle central, et intolérable. En tant que Pakistanais, j'avais vu mon pays soumis à une succession imprévisible d'aides et de sanctions économiques américaines, je savais donc que l'argent était l'un des instruments essentiels dans l'exercice du pouvoir impérial américain. J'avais eu raison de refuser de continuer à prêter la main à cette entreprise de domination mondiale ; s'il fallait être surpris, c'était plutôt à l'idée que j'aie mis si longtemps à tirer cette conclusion.

J'ai pris la résolution de porter sur toutes choses le regard d'un ancien janissaire dès que je serais de retour à New York, c'est-à-dire l'œil froidement analytique d'un produit de Princeton et d'Underwood Samson, mais débarrassé de la manie universitaire ou professionnelle de s'arrêter d'abord à la partie afin de considérer enfin le *tout* que constituait votre société. Adoptant ce point de vue, j'ai été frappé par ce que votre empire pouvait avoir de conventionnel. Des sentinelles en armes surveillaient le poste-frontière où je sollicitais mon entrée ; en raison de mon appartenance à une race suspecte, j'étais placé en quarantaine, soumis à des contrôles supplémentaires ; une fois admis, je payais les services d'un portefaix qui, issu de la classe des serfs, devait se contenter de la maigre paie que son travail lui rapportait ; moi-même, j'étais une sorte de serviteur sous contrat, dont le droit à résidence dépendait de la seule bienveillance de mon employeur. « Merci, Juan-Bautista », me suis-je murmuré à moi-même en m'étendant plus tard sur mon lit, « merci de m'avoir aidé à repousser le voile qui dissimulait une telle réalité ! »

Mais je devais me débattre dans une grande confusion émotionnelle, quasiment hypnotique à vrai dire, car à mon réveil le lendemain matin j'étais revenu à de tout autres sentiments. Là, c'est l'énormité de ce à quoi j'avais renoncé qui m'est apparue. Sans relations, sans moyens financiers, sans soutien familial, et encore à un âge aussi tendre, où pouvais-je espérer trouver des revenus aussi substantiels que le salaire que j'avais ainsi dédaigné ? N'allais-je pas regretter cette ville où tout était possible, qui vibrait d'une énergie si stimulante ? Et qu'allait-il advenir de ma responsabilité envers Erica, ou plutôt de ce serment juré devant moi-même de tout tenter pour la sauver, qui était né du désir qu'elle m'inspirait ? Et comment oserais-je me présenter à nouveau devant Jim ?

Si vous avez déjà vécu la rupture qui vient conclure une grande passion amoureuse, sir, vous comprendrez ce que je ressentais alors. Dans une telle situation, il arrive généralement un moment d'emportement où l'impensable est enfin énoncé, provoquant une sensation de libération des plus euphoriques, comme si le monde entier renaissait devant vous, comme si tout se renouvelait ; puis survient inévitablement une période de doute, suivie des efforts désespérés et condamnés d'avance que commande le regret, et c'est seulement après, lorsque toutes ces émotions se sont dispersées, que l'on est capable de considérer avec lucidité la longue route que l'on vient de parcourir. Pour moi – comme dans nombre de cas, d'après mon expérience de l'espèce humaine –, le doute et le regret se sont présentés très vite, de sorte qu'au moment où je suis entré dans le métro afin de me présenter une dernière fois à mon poste chez Underwood Samson, j'étais en état de choc, un peu comme quand on vient de se tordre méchamment la cheville mais que la douleur ne se fait pas encore sentir.

Comprenez-moi bien, je vous prie. Ce n'était pas que j'étais convaincu d'avoir commis une erreur, non : je n'étais pas convaincu de ne pas en avoir commis une, plutôt. En d'autres termes, je nageais dans l'indécision. Simplement, mon orgueil m'obligeait à feindre d'ignorer la tristesse inattendue qui montait en moi. Une fois arrivé, je me suis interdit d'attarder mon regard sur le hall imposant, qui *a posteriori* me fait penser au majestueux frontispice d'un temple réservé à quelques élus, ni de contempler une dernière fois la vue spectaculaire derrière nos fenêtres. Je ne me suis pas permis de glisser dans ma poche une de mes boîtes de cartes de visite, preuve élégamment imprimée que j'avais été choisi parmi des milliers pour arriver ici. Non, je me suis contenté de suivre les deux membres du personnel de sécurité qui ne me lâchaient pas d'une semelle et m'ont surveillé tandis que j'empilais quelques affaires personnelles dans un petit carton, avant de m'escorter jusqu'au département des ressources humaines pour mon entretien de licenciement.

Celui-ci a été étonnamment bref, solennel mais sans récriminations inutiles. Une fois les formulaires signés et les données visant à l'optimisation de la rentabilité de l'entreprise entrées dans les cases correspondantes, j'ai été informé que Jim voulait me parler. Vêtu d'un costume et d'une cravate sombres – comme à un enterrement, me suis-je dit –, il paraissait avoir peu dormi.

« Vous vous êtes bien fichu de nous, mon garçon.

— Je sais.

— Je ne suis pas partisan de la charité sur le lieu de travail, a-t-il poursuivi, et donc je n'ai pas eu de vague à l'âme en prenant la décision de votre renvoi. En fait, j'aurais dû passer à l'action il y a déjà un mois, ce qui nous aurait épargné les tracas que vous nous avez causés à Valparaiso. Mais », il a marqué une légère pause, « écoutez-moi, Tchenguiz : je vous aime bien, je vois parfaitement que vous traversez une crise, là. Si vous en avez gros sur la patate un jour, si vous êtes d'humeur à parler, vous me passez un coup de fil et je vous paie une bière, d'accord ? »

La gorge serrée, je n'ai pu répondre. J'ai hoché lentement la tête et c'était presque comme si je m'inclinais.

Après avoir quitté le bureau de Jim, j'ai été conduit aux ascenseurs. Je n'avais pas encore mesuré à quel point ma barbe et mes airs sombres avaient inquiété mes collègues, tout au long des dernières semaines. Seul Wainwright a quitté sa pièce pour venir me serrer la main et me souhaiter bonne chance ; tous les autres, quand ils étaient obligés de croiser mon regard, le faisaient avec un tel malaise, voire une telle frayeur, que l'on aurait pu penser que mon crime consistait en une tentative d'assassinat collectif sur leur personne, non en la décision d'abandonner mon poste. Les mastards de la sécurité ne m'ont laissé qu'une fois sur le trottoir, et c'est seulement alors que j'ai pu m'essuyer les yeux, devenus un peu humides, d'un revers de la main.

Vous ne devez pas oublier que je n'avais que vingt-deux ans et qu'il s'était agi de mon premier *vrai* travail : dans pareil contexte, les échos de chaque expérience sur le plan émotionnel atteignent parfois une intensité exagérée. J'avais l'impression qu'un monde venait de disparaître, ce qui était d'ailleurs le cas. J'ai décidé de redescendre au Village à pied. J'imagine que je devais avoir une drôle d'allure – un Pakistanais hirsute et abattu traversant le centre de Manhattan avec un carton dans les bras – mais je ne me rappelle pas avoir attiré de remarques désobligeantes parmi les passants ; il est vrai que je ne les aurais sans doute pas entendues, absorbé comme je l'étais dans mes tristes pensées.

Une fois chez moi, je me suis versé un whisky et je me suis assis pour réfléchir. Il était encore tôt, même pas midi, de sorte que j'ai résolu d'appeler mes parents. C'est mon frère qui a répondu. Il avait reçu mon virement et dehors des hommes s'activaient déjà à déterrer nos canalisations rouillées, qui seraient remplacées le lendemain. Quand je lui ai déclaré que j'avais l'intention de revenir à Lahore, il a tenté de m'en dissuader. La tension avec l'Inde ne cessait de monter, m'a-t-il affirmé : à Islamabad, où il s'était rendu quelques jours plus tôt, les femmes et les enfants des employés des délégations étrangères ou des ONG avaient commencé à quitter le pays. Je lui ai expliqué que je n'avais pas le choix : « J'ai été renvoyé et mon visa professionnel ne sera bientôt plus valide », ai-je déclaré abruptement. Il a répondu que la famille allait prendre soin de moi, évidemment. Je ne lui ai pas dit que j'avais jadis caressé le rêve de devenir leur soutien, au contraire. Après notre conversation téléphonique, j'ai continué à boire un moment.

Mais je vois que votre verre est resté vide, quant à lui. Est-il temps de demander l'addition ? Oui ? Un geste rapide de la main et voici notre serveur ! Combien est-ce, demandez-vous ? Je vous en prie, ne vous embarrassez pas de cela : vous êtes mon hôte, ici, et puis la somme est vraiment négligeable et… Vous voulez payer la moitié, dites-vous ? Pas question ! Chez nous, par ailleurs, ou bien on prend toute la note, ou bien on garde sa bourse en poche. Tenez, vous venez de me rappeler comme j'avais été intrigué par cette pratique de partager l'addition entre amours ou relations, si commune dans votre pays : moi, j'ai été élevé dans le principe de la générosité mutuelle et successive, régie par une précision mathématique qui permet que chaque partie se retrouve à égalité.

N'ayant en revanche pas reçu d'instruction sur l'art et la manière de contacter une amante enfermée dans un asile psychiatrique, j'ai longuement hésité entre envoyer un e-mail à Erica ou aller directement la voir. Finalement, j'ai été forcé de me décider en constatant que tous mes messages m'étaient renvoyés avec une note précisant que sa boîte d'entrée était saturée : j'ai loué une voiture et je me suis rendu à l'institution sans annoncer mon arrivée. La réceptionniste m'a déclaré que les visites impromptues n'étaient pas acceptées, et qu'elle n'était même pas autorisée à me confirmer si

Erica était toujours pensionnaire chez eux. Au moment où j'allais renoncer, j'ai aperçu l'infirmière qui m'avait accueilli la première fois. Je l'ai priée d'intervenir en ma faveur. Après avoir lancé un « Je m'occupe de lui ! » à la réceptionniste, elle m'a pris à part. La mine très grave, elle m'a proposé de m'asseoir.

« Qu'est-ce que vous savez, exactement ? m'a-t-elle demandé.

— Comment, qu'est-ce que je sais ? À propos de quoi ? »

Elle m'a tapoté gentiment la main.

« Oh, je suis désolée ! Erica n'est plus parmi nous. »

Comme je la pressais d'expliquer ce qu'elle entendait par là exactement, elle m'a expliqué qu'Erica s'était enfuie environ quinze jours plus tôt, soit peu après notre rencontre. Au début de son séjour, elle aimait passer des heures avec les infirmières – notamment celle qui me faisait ces confidences –, les thérapeutes, d'autres patients, mais vers la fin elle partait de plus en plus souvent en de longues promenades solitaires ; un jour, elle était sortie et n'était pas revenue. On avait retrouvé ses vêtements soigneusement pliés sur un promontoire rocheux qui dominait le fleuve.

« Vous... Vous essayez de m'annoncer qu'elle s'est suicidée ? ai-je demandé, oppressé.

— On n'a pas encore localisé sa dépouille, et elle n'a pas laissé de lettre, rien. Techniquement parlant, elle est considérée comme disparue mais elle avait commencé à faire ses adieux à tout le monde et... Oh, c'est terrible ! »

À ces mots, elle a lancé ses bras autour de moi. Je l'ai priée de me montrer l'endroit où ils pensaient qu'Erica s'était jetée dans le vide. Elle m'y a conduit. C'était un magnifique emplacement pour commettre un suicide : émerger du bois de conifères couverts de neige, s'élancer sur cette dalle de granit et fuser dans les airs, les yeux braqués vers l'autre rive du large fleuve où l'on distinguait une petite maison dont la cheminée fumait, avant de tomber dans le courant glacé en contrebas. Mais je ne pouvais pas imaginer le corps pâle et nu d'Erica suivre cette parabole.

Alors je suis allé chez ses parents dès que je suis revenu en ville. Quand elle m'a ouvert, j'ai remarqué que la mère d'Erica n'avait aucun maquillage, et que ses sourcils étaient si fins qu'ils semblaient inexistants. Je lui ai dit que je revenais juste de la maison de repos ; avait-elle des nouvelles de sa fille ? Elle m'a regardé comme si je venais de la gifler sans la moindre raison, puis elle s'est ressaisie et a prononcé lentement :

« Non. J'ai bien peur que non.

— Soyez certaine que je ferai tout mon possible pour vous aider.

— Merci. »

Elle m'a invité à entrer, puis m'a dit que les services de secours continueraient de chercher Erica, qu'elle avait fait publier des avis de recherche dans la presse locale, mais qu'en dehors de ça il n'y avait pas grand-chose à faire. Non sans difficulté, nous avons tenté de parler de tout et de rien. Elle m'a demandé comment j'allais ; j'ai répondu que je venais de me faire mettre à la porte. Lorsque je lui ai posé la même question, elle n'a pu qu'ébaucher un sourire contraint et donc le silence est tombé entre nous. Avant mon départ, cependant, elle a eu deux attentions qui visaient clairement à soulager ma peine : d'abord, elle m'a dit qu'Erica lui avait confié m'avoir trouvé des plus séduisants, avec ma barbe ; ensuite, elle m'a offert une copie du manuscrit de sa fille, en remarquant : « Vous aurez peut-être envie de le lire ? »

Pendant plus d'une semaine, le livre est resté au-dessus de ma télévision sans que j'y touche. J'attendais un signe d'Erica, un e-mail, un appel téléphonique, un coup de sonnette à l'interphone. Errant à travers la ville, je suis retourné à des endroits où elle m'avait emmené, et je ne sais si c'était parce que je pensais l'y voir, elle, ou saisir un reflet de ce qu'avait été notre relation. Certains, comme la galerie d'art de Chelsea où elle m'avait entraîné à notre première soirée, ont été impossibles à retrouver, comme s'ils n'avaient existé qu'en rêve ; d'autres, par exemple le coin de pelouse à Central Park qui avait accueilli notre pique-nique, semblaient différents, désormais : à cause du changement de saison, sans doute, mais aussi parce que la nature même de cette ville est l'inconstance.

Je me suis souvenu d'Erica en septembre, à ce qui était encore le début de notre liaison, juste après les attentats contre le World Trade Center. Même s'il symbolise traditionnellement la fin de l'été et l'inévitable hibernation qui s'annonce, le mois de septembre m'a toujours paru un temps propice aux recommencements, une sorte de *printemps*, en fait ; qu'il marque le début de la nouvelle année universitaire y est sans doute pour quelque chose. En ce septembre-là, je plongeais avec énergie dans ma vie new-yorkaise, chargé d'optimisme et d'attente de ce que l'avenir me réservait. Un soir, alors que nous flânions tous les deux à Union Square, nous avions vu une luciole. « Regarde, s'était exclamée Erica, elle essaie de se battre contre toutes ces lumières ! » Et c'était vrai : de près, la petite lueur verdâtre brillait intensément mais dès qu'on la considérait à une modeste distance elle se laissait engloutir par la multitude de points lumineux propre à la métropole. Nous l'avons observée tandis qu'elle traversait la 14e Rue en direction du sud. Erica se tenait devant moi, me tournant le dos, et je l'avais enlacée, posant mes paumes sur son ventre. Tête en arrière, elle s'était abandonnée à ce geste très intime, qui faisait penser à un futur père cajolant sa femme enceinte. Je me rappelle encore comment ses muscles bougeaient à chacune de ses respirations. Un taxi est passé en trombe, la luciole a échappé à notre regard.

« Tu crois qu'elle s'en est tirée ? m'a-t-elle interrogé.

— Je ne sais pas, ai-je répondu. J'espère que oui. »

Ce genre de souvenirs occupaient toutes mes journées, après la disparition d'Erica, et s'insinuaient aussi dans mes rêves. Ils étaient la seule forme de contact que je gardais avec elle. Je me suis enfin décidé à lire le manuscrit que sa mère m'avait confié. L'appréhension, voire la frayeur, m'accompagnaient : c'était comme si j'allais entendre sa voix pour la dernière fois et je redoutais ce qu'elle allait me dire. Pourtant, son roman n'avait rien d'une œuvre tourmentée, hantée par les réminiscences autobiographiques : c'était, tout simplement, un récit d'aventures, celles d'une fille qui échoue sur une île et apprend à y survivre. D'un style épuré, il regorgeait néanmoins d'optimisme et s'arrêtait souvent avec jubilation sur d'infimes détails, par exemple la texture de la peau d'un fruit blet, ou les mouvements des antennes d'une écrevisse dans un ruisseau.

Je ne suis pas arrivé à retrouver Erica dans le phrasé ou dans le contenu de ce qu'elle avait écrit. Le manuscrit ne me donnait aucune piste, comme s'il y avait eu erreur sur le destinataire. Mais j'ai aussi été abasourdi par la détermination de ce texte à n'être rien d'autre que ce qu'il était, par sa cohérence insondable. Abasourdi et profondément chagriné : quand j'ai tourné la dernière page, je ne savais pas si Erica était vivante ou morte, mais j'avais commencé à comprendre qu'elle avait délibérément choisi de ne pas faire partie de *mon* histoire, que la sienne s'était révélée trop prenante, qu'elle était en train de la poursuivre jusqu'à son ultime conclusion, à sa manière, et qu'à cet instant elle parcourait des espaces que je ne pouvais atteindre. Je n'avais d'autre choix que de poursuivre mes propres préparatifs de départ.

J'aimerais prétendre que mes derniers moments à New York se sont passés dans un calme lucide, mais rien ne serait plus contraire à la vérité, hélas ; à cette époque, j'étais incohérent, instable, ballotté entre crises de rage et périodes d'abattement. Fou, en un mot. Parfois, je restais des heures dans mon lit à tourner et retourner la sempiternelle question : où Erica était-elle partie, et pourquoi ? Parfois, je reprenais conscience alors que je marchais furieusement dans la rue, arborant ma barbe comme une provocation, farouchement désireux de me confronter à ceux qui seraient assez téméraires pour s'en prendre à moi. L'agressivité était omniprésente, en ce temps-là : la rhétorique dans laquelle avait basculé votre pays – non seulement ses dirigeants mais aussi la presse, y compris des journalistes supposément critiques – nourrissait sans relâche mon ressentiment et ma colère.

Il me semblait – et pour être honnête, sir, c'est encore aujourd'hui mon impression – que l'Amérique se contentait alors d'une pose, d'une gesticulation. En tant que nation, vous étiez incapables de réfléchir aux maux que vous partagiez avec ceux-là mêmes qui vous avaient attaqués. Vous vous réfugiiez dans la proclamation d'une différence mythifiée, dans le présupposé arbitraire de votre supériorité. Et vous brandissiez ces convictions sur la scène mondiale sans vous soucier que la planète entière soit secouée par vos pantomimes, jusqu'à ma famille menacée par la guerre à des milliers de kilomètres de là. Cette Amérique-là, il fallait arrêter sa dérive, dans l'intérêt non seulement du reste de l'humanité mais aussi du sien.

C'est ce à quoi j'ai résolu de consacrer tous mes efforts. Avant tout, cependant, il fallait que je m'en aille. Par un bel après-midi new-yorkais, sous un ciel qui m'a rappelé le jour où je m'étais avancé sur le promontoire surplombant l'Hudson, je suis parti à JFK. J'ai imaginé Erica se dépouillant de ses vêtements et de son passé, s'engageant dans la forêt jusqu'à ce qu'elle rencontre une femme de bien qui la recueille chez elle, la nourrisse, la protège. Comme elle avait dû avoir froid, pendant cette longue marche... À cette pensée, j'ai retiré ma veste et je l'ai posée sur le trottoir devant le terminal, en guise d'offrande. Dans cet ultime geste avant de retourner au Pakistan, j'ai vu une promesse de chaleur adressée à Erica, non pas à l'instar des fleurs laissées pour les morts mais plutôt de même qu'on fait tourner des roupies au-dessus de la tête des vivants. Quelques instants plus tard, par les baies de l'aéroport, j'ai vu que ma veste abandonnée avait provoqué une alerte à la bombe, ce qui n'a pas manqué de m'exaspérer.

Qu'ai-je donc fait pour « arrêter l'Amérique », me demandez-vous ? Vous n'avez vraiment aucune idée à ce sujet, sir ? Ah, vous hésitez… N'ayez crainte, je ne serai jamais assez indélicat pour vous arracher une réponse. Je vais vous le dire, ce que j'ai fait, même si ce n'est pas grand-chose et si, j'en ai peur, cela reste loin de ce que vous attendiez sans doute. Mais auparavant quittons ce bazar, si vous voulez bien. Les dernières boutiques ferment, des personnages peu recommandables ont fait leur discrète apparition. Où êtes-vous descendu, à Lahore ? Oh, le Pearl Continental ? Très bien, je vous accompagne. Non, non, ce n'est pas loin du tout et bien qu'il fasse sombre, bien que certaines portions du trajet soient totalement désertes, à cette heure, nous ne devrions pas avoir de mauvaise surprise. Comme je l'ai déjà évoqué, Lahore est relativement épargné par la petite criminalité, pour une ville de cette taille. De plus, la nature nous a tous deux favorisés d'une stature et d'une physionomie qui ont de quoi dissuader la canaille de trop tenter la chance.

12

Aux regards que vous jetez par-dessus votre épaule, je déduis que vous avez remarqué que nous ne sommes pas les seuls à avoir décidé de quitter le bazar et de rejoindre Mall Road. Eh oui, parmi ceux qui cheminent derrière nous se trouve notre serveur, celui-là même qui a paru vous mettre si mal à l'aise, en dépit de son zèle peu courant. Cela n'a rien d'étonnant : les restaurants ont fermé, la journée de travail est terminée. Je vous propose donc de reporter votre attention sur ces immeubles élégants, quoique plus ou moins négligés, qui datent de l'ère britannique et servent de pont à la fois géographique et architectural entre les quartiers anciens et contemporains de notre ville. Ah, quelle vie tranquille les boutiques qu'ils abritent semblent suggérer ! Un pharmacien, un opticien, un marchand de saris de la meilleure qualité, un tailleur pour hommes… Notez, je vous prie, avec quelle fréquence les termes de frères et de fils reviennent sur ces enseignes : nous avons ici des commerces familiaux, des affaires transmises de génération en génération. Ce n'est certes pas le cas de cet armurier, comme vous le faites justement remarquer, mais pour le reste vous devez convenir qu'ils forment un ensemble délicieusement suranné.

Ah, ces résidences sont d'une tout autre nature, maintenant, avec leurs angles agressifs et leurs façades revêches ! Elles nous viennent essentiellement des années 70 et 80, c'est-à-dire avant que l'instinct de conservation historique ne commence à s'imposer. Elles hérissent toute la zone comme une vilaine urticaire. Pour ma part, je les trouve particulièrement déplaisantes à la nuit tombée, sombres et désertes, percées d'étroits passages dans lesquels l'on s'imagine entraîné contre son gré pour disparaître à jamais. Vous avez raison, oui : pressons le pas. Il nous reste un long chemin à accomplir, de toute façon.

Connaissez-vous *La Légende de Sleepy Hollow* ? Vous avez vu le film, vraiment ? Pas moi. Il doit être fidèle au texte de Washington Irving, sans doute, mais je ne crois pas qu'il puisse atteindre la puissance évocatrice du roman. On ne peut que partager la frayeur de ce malheureux Ichabod Crane quand, seul sur sa monture, il perçoit pour la première fois la présence du Cavalier sans tête. Je reconnais volontiers que ce claquement de sabots surnaturels me revient souvent en mémoire lorsque je m'accorde une promenade nocturne et solitaire. Comme mon cœur s'affole, alors ! Mais je vois que vous ne partagez pas mon plaisir à jouer avec de telles pensées, et que l'anxiété qui se lit sur vos traits est bien réelle. Avec votre permission, je m'empresse donc de changer de sujet…

Je vous racontais tout à l'heure dans quelles conditions j'ai *quitté* l'Amérique, sir, mais en vérité ce terme de quitter ne fait pas justice à la complexité de mon expérience, car même après être revenu au Pakistan je n'ai pas cessé entièrement d'habiter figurativement votre pays. Me sentant toujours attaché à Erica, j'avais l'impression d'avoir ramené un peu d'elle à Lahore, ou peut-être serait-il plus exact de dire que j'avais abandonné à Erica une partie de moi-même que j'étais incapable de réacclimater à ma ville natale ? Quoi qu'il en soit, l'effet sur mon humeur générale était dévastateur : des vagues de tristesse s'abattaient sans relâche sur moi, des rouleaux de deuil et de regret provoqués tantôt par une cause extérieure, tantôt par un cycle intime qui avait la régularité des marées, faute d'une meilleure image. Oui, je réagissais à l'attraction d'une lune invisible qui évoluait en moi et m'entraînait dans les dérives les plus inattendues.

Il m'arrivait par exemple de me lever à l'aube sans avoir dormi un seul instant mais après avoir passé, en l'espace de quelques heures, une journée entière en compagnie d'Erica. Nous nous étions réveillés dans ma chambre, avions pris le petit déjeuner avec mes parents ; après nous être caressés sous la douche, nous nous étions habillés, avions enfourché notre scooter et pendant tout le trajet jusqu'au campus j'avais senti son casque heurter doucement le mien ; quand nous nous étions séparés sur le parking de la faculté, j'avais été à la fois amusé et irrité par les regards insistants que les étudiants lui jetaient, ne sachant quelle fraction de cet intérêt était éveillée par sa beauté et quelle autre par son allure d'étrangère ; le soir venu, au clair de lune, nous avions eu un dîner en plein air près de la mosquée royale, bon marché mais succulent, au cours duquel nous avions parlé de nos études, de la perspective d'avoir des enfants ; je l'avais corrigée sur son urdu, elle sur mes projets universitaires ; plus tard, nous avions fait l'amour sur notre lit tandis que le ventilateur bourdonnait au-dessus de nous.

Certaines de ces rêveries éveillées étaient moins précises mais non moins bouleversantes. Je m'en souviens d'une, survenue alors que j'observais une flaque se former dans le sillon laissé par une roue sur le bas-côté de la route, pendant la mousson : pendant que la pluie créait peu à peu ce lac miniature, j'avais remarqué une pierre qui émergeait en plein milieu telle une île et j'avais pensé à la joie qu'aurait éprouvée Erica à cette vue. Un autre moment me revient, maintenant : un jour où j'avais souffert une petite collision sur mon scooter, j'avais retiré ma chemise de retour à la maison et découvert un gros bleu sur ma cage thoracique, exactement au même endroit où Erica avait eu le sien ; les yeux sur mon reflet dans la glace, j'avais parcouru la marque de mes doigts en formulant l'espoir qu'elle ne disparaisse pas trop vite, ce qui s'était bien sûr produit.

Ces aventures imaginaires ont fini par me convaincre qu'il n'est pas toujours possible de retrouver les limites qui définissent chacun de nous, une fois qu'elles ont été partiellement effacées et rendues perméables par la passion amoureuse. Malgré tous nos efforts, nous n'arrivons pas à reconstituer dans son intégralité la personnalité autonome que nous avions cru être auparavant : nous avons laissé quelque chose de nous-même au-dehors, et quelque chose venu du dehors a fini par s'installer en nous-même. Mais vous n'avez peut-être jamais vécu une telle expérience, sir, car vous m'observez maintenant comme si j'étais un fou délirant à voix haute ! Je ne voulais cependant pas prétendre que nous en venons tous à former *une* seule entité et, ainsi que vous vous en rendrez bien compte, je ne conteste pas la nécessité d'édifier des remparts protecteurs ; j'essayais simplement d'expliquer certains aspects de mon comportement après mon retour.

En dépit de contraintes financières aucunement négligeables, j'ai réussi à payer chaque année la cotisation qui me permettait de recevoir l'hebdomadaire de l'association des anciens de Princeton, que je lisais invariablement de bout en bout, en m'arrêtant avec un intérêt particulier sur les messages personnels et les avis de décès à la fin du magazine. De temps en temps, je tombais sur un nom connu et je fixais alors éperdument ces soudaines ouvertures sur ma vie passée, je me demandais comment cet autre monde était en train d'évoluer, ce monde peuplé de gens semblables à ceux qui avaient été mes compagnons de voyage en Grèce. Je n'ai par contre surpris aucun signe d'Erica dans ces pages, ce qui pouvait être dû au fait que les caprices de la poste internationale m'avaient privé de certains numéros mais qui m'inspirait chaque fois un mélange égal d'espoir et de chagrin devant le constat renouvelé de son absence.

Je ne sais ce que je m'attendais à trouver dans ces colonnes, à vrai dire. Un entrefilet annonçant que son roman avait été publié et qu'elle avait fait son apparition lors du lancement du livre, pour le plus grand bonheur de ses anciens camarades de cours ? Un communiqué indiquant que son cadavre avait été enfin retrouvé et identifié ? Un visage un peu flou qui aurait pu être le sien sur une photographie rendant compte d'une réunion de sa promotion ? Ce qui est sûr, c'est que le temps ne diminuait en rien l'avidité avec laquelle je parcourais ces revues. Pendant quelques mois, j'avais continué à lui envoyer des mails, aussi, et puis sa messagerie a cessé de les accepter et dès lors je me suis contenté d'une lettre par courrier normal chaque année, à la date anniversaire de sa disparition ; elles m'ont toutes été retournées intactes.

J'avais atteint mes vingt-cinq ans quand mon frère s'est marié. Avec toujours plus d'insistance, ma mère s'est mise alors à suggérer que je devrais en faire de même. Convaincue que j'étais en proie à quelque mélancolie maladive, elle s'était persuadée que le plus sûr moyen de retrouver goût à la vie était pour moi de fonder ma propre famille. Elle estimait également que je passais trop de temps au travail ou enfermé dans ma chambre, que j'aurais dû sortir plus souvent. Une fois, non sans un embarras très visible, elle m'a même demandé s'il était possible que je sois homosexuel. Je ne lui avais jamais parlé d'Erica et, plus le temps passait, plus je répugnais à le faire : puisque notre relation pouvait seulement se développer dans mon imagination, la soumettre à l'appréciation maternelle qui, avec les meilleures intentions du monde, ne manquerait pas d'en contester la réalité, risquait de lui porter un tort irréparable. Ce n'est pas que je croie, en ce moment même, être lié à Erica au sens habituel que l'on donne à ce terme, ni qu'elle puisse me surprendre en surgissant un jour à notre porte, souriante, un peu voûtée par le poids de son sac à dos… Mais je suis encore jeune, je ne ressens pas le besoin de me marier avec une autre femme et, pour l'heure, je me satisfais d'attendre.

Vous, par contre, vous avez l'air de ne plus tenir en place ! Qu'est-ce qui a bien pu vous inquiéter à ce point ? Serait-ce ce bruit sec qui vient de retentir non loin de nous ? Je puis vous assurer qu'il ne s'agissait pas de la détonation d'une arme à feu, même si je comprends fort bien que vous ayez pu avoir cette idée. Non, c'était très probablement le pot d'échappement défaillant d'un rickshaw qui passait par là, car ces moteurs à deux temps, que leurs propriétaires négligent souvent d'entretenir comme il se doit, sont coutumiers de ce genre de ratés. Je reconnais que l'effet est saisissant, en pleine nuit, mais… Comment ? Est-ce que nous sommes suivis ? Je ne vois personne derrière nous, non… Attendez ! Maintenant que vous avez émis cette hypothèse, je distingue en effet quelques silhouettes là-bas, dans la pénombre. Mais nous ne pourrions prétendre disposer de cette importante artère pour nous seuls, même à une heure si tardive. N'est-ce pas ? Selon toute vraisemblance, ce ne sont que d'humbles travailleurs qui rentrent chez eux.

Mais vous avez raison, ils se sont arrêtés. Comment ? Que voulez-vous dire, que je leur ai fait signe ? Balivernes ! J'ignore tout autant que vous qui ils sont ou ce qu'ils ont en tête. On ne peut qu'émettre la supposition qu'ils ont perdu quelque chose, ou qu'ils ont fait halte pour un brin de conversation, ou… Peut-être sont-ils en train de se demander pourquoi *nous* nous sommes immobilisés, et si *nous* serions disposés à leur chercher noise ! Point n'est besoin de trop nous inquiéter, de toute façon. Nous ferions mieux de poursuivre notre promenade digestive. Après tout,

Lahore est une ville de huit millions d'habitants, non une forêt hantée de fantômes !

Vous avez décidé de continuer, je vois. Très bien. Mais que cherchez-vous, maintenant ? Ah, votre si particulier téléphone portable ! Au cas où ce serait pour transmettre un message à vos collègues, vous pouvez les informer que nous ne sommes plus très loin de votre hôtel ; un quart d'heure, au plus, ce qui me rappelle que je devrais maintenant me hâter, si je veux parvenir à une conclusion convenable. Vous vous rappelez sûrement, sir, que vous m'avez demandé tout à l'heure ce que j'avais fait pour arrêter l'Amérique ; puisque le moment de nous séparer est proche, permettez-moi d'ébaucher une réponse, même en prenant le risque qu'elle vous déçoive.

La menace d'un conflit avec l'Inde a atteint son apogée au cours de l'été qui a suivi mon départ de New York. De part et d'autre de la frontière, les multinationales demandaient à leurs principaux cadres de quitter la région, tandis que les nations du Premier monde recommandaient à leurs ressortissants de renoncer autant que possible aux voyages ayant le sous-continent pour destination. Il semblait alors que seul le climat était capable de retarder le déclenchement des hostilités, d'abord à cause de la chaleur trop intense pour que les troupes indiennes lancent une offensive à travers le désert, ensuite en raison de la mousson, dont les pluies rendaient dangereuses les routes du Pendjab aux tanks indiens. Comme les défilés du Cachemire risquaient d'être bloqués par la neige dès octobre, on estimait généralement que septembre était la période idéale pour se battre et c'est ainsi que nous avons attendu que le mois passe, jour après jour, une attente passée inaperçue dans la presse de votre pays, surtout occupée à commémorer le premier anniversaire des attaques sur New York et Washington. Puis les journées ont commencé à raccourcir, les négociations à porter des fruits, et la probabilité d'une catastrophe qui aurait pu faucher des dizaines de millions de vies s'est peu à peu atténuée. Pour l'humanité dans son ensemble, bien sûr, le répit n'a été que de courte durée puisque l'invasion de l'Irak allait débuter six mois après.

Un fil conducteur unissait apparemment ces événements : je parle de la conception des intérêts stratégiques américains, dissimulée sous les oripeaux de la « guerre contre le terrorisme », que défendait une petite mais puissante coterie dans votre pays. Par terrorisme, celle-ci entendait le meurtre organisé et idéologiquement revendiqué de civils par des éléments *non* revêtus d'un uniforme militaire, et je dois reconnaître que si la lutte contre ce genre de violence devenait la priorité fixée à toute l'espèce humaine, alors la vie de ceux d'entre nous qui habitaient dans des contrées où ces mêmes meurtriers évoluaient pouvait se classer dans la catégorie des « dommages collatéraux ». C'était pour cette raison, me disais-je, que l'Amérique se sentait justifiée de provoquer tant de mort et dévastation en Afghanistan et en Irak, ou qu'elle jugeait utile de prendre le risque d'une plus grande tuerie encore en se servant discrètement de l'Inde pour faire pression sur le Pakistan.

Entre-temps, j'avais obtenu un emploi de maître-assistant à l'université ; dès lors, ma mission sur le campus allait être de plaider pour un désengagement de notre pays vis-à-vis du vôtre. Peut-être parce que j'étais presque aussi jeune qu'eux, ou parce qu'ils discernaient la valeur pratique de mon expérience d'ancien janissaire, que je partageais avec eux dans le cadre de mes cours de technique financière, je suis vite devenu populaire parmi les étudiants, et il ne m'a pas été difficile de les persuader de se joindre aux manifestations en faveur d'une plus grande indépendance du Pakistan sur le plan international comme sur celui de ses affaires intérieures, rassemblements que la presse étrangère, lorsqu'ils sont devenus assez importants pour retenir son attention, a aussitôt taxés d'antiaméricains.

La première de nos protestations à attirer les projecteurs médiatiques a eu lieu non loin de là où nous nous trouvons à cet instant. L'ambassadeur de votre pays étant en visite à Lahore, nous avons encerclé le bâtiment où il menait des entretiens en brandissant des pancartes et en criant des slogans. Nous étions des milliers, venus de tous les horizons – communistes, capitalistes, féministes, dogmatistes religieux… –, et les esprits ont commencé à s'échauffer : des effigies ont été brûlées, des pierres ont été lancées, et soudain une nuée de policiers en uniforme et en civil s'est abattue sur nous. Des échauffourées ont éclaté ; ayant pris part à l'une d'elles, j'ai passé la nuit suivante en prison, avec en prime une lèvre fendue et des phalanges écorchées.

Bientôt, mes heures de cours se sont transformées en d'innombrables réunions de jeunes politisés, au point que je devais souvent rester à l'université bien après le dîner afin de répondre aux demandes de ceux qui recherchaient mes conseils, académiques ou non. Je suis devenu tout naturellement un modèle et un guide pour nombre de ces garçons et de ces filles, les aidant non seulement à rédiger une dissertation ou à préparer une manifestation, mais aussi à faire face aux multiples défis de l'existence, peines de cœur, problèmes de toxicomanie, contraception, droits des prisonniers, centres d'accueil pour femmes battues...

Je ne prétendrai pas que tous mes étudiants étaient des anges, loin de là ; certains, je suis le premier à le reconnaître, n'étaient guère plus que de vulgaires délinquants. Mais j'ai développé avec les années une capacité naturelle à jauger une personnalité d'un seul coup d'œil – et je serais malhonnête de ne pas souligner que ce don a été notablement influencé par celui qui avait été mon modèle et guide, Jim – et je dois dire que mon jugement, loin d'être infaillible, se révèle souvent très pertinent. Par exemple, je suis en mesure de distinguer qui parmi une foule sera le plus susceptible de recourir à la violence, ou qui parmi mes collègues sera le plus tenté d'aller se plaindre au recteur et de lui demander de me rappeler à la réserve professorale avant que mes activités politiques n'aient de funestes conséquences.

À ce sujet, j'ai certes reçu des avertissements administratifs en plus d'une occasion mais la fréquentation de mes cours est tellement élevée que j'ai pu jusqu'ici échapper à une mise à pied. Et au cas où vous penseriez que je suis l'un de ces enseignants qui s'associent à de jeunes criminels pour constituer des groupes dont le seul but est d'écumer le campus comme une bande de voleurs de grands chemins, permettez-moi de souligner que les étudiants qui viennent à moi sont en général des éléments brillants, studieux, idéalistes, dont la saine ambition n'a d'égal que le profond civisme. Nous nous appelons mutuellement cama-rades, et c'est aussi le terme que nous employons pour tous ceux qui partagent les mêmes principes, mais s'il fallait résumer ce que nous sommes j'emploierais celui de *bien intentionnés*. C'est donc avec la plus grande consternation que j'ai récemment appris que l'un de ces garçons avait été arrêté et accusé de tentative d'assassinat sur la personne de l'un des coordinateurs de l'aide au développement prodiguée par votre pays dans nos campagnes.

Je n'ai aucune information sur ce supposé complot, d'autant plus pernicieux qu'il aurait visé un symbole de compassion, mais je suis certain que le jeune en question y a été impliqué par erreur. Quoi ? Comment puis-je en être si certain, dites-vous, puisque je n'ai aucune connaissance de l'affaire ? Force m'est de reconnaître que vous venez d'adopter un ton décidé-ment inamical et inutilement accusateur, sir. Je puis vous assurer que je reste quant à moi un partisan convaincu de la non-violence, que j'abhorre l'idée du sang versé, sauf bien entendu en cas d'autodéfense. Vous me demandez à quel point ma définition de l'autodéfense est élastique ? Elle ne l'est pas du tout, sir ! Je ne suis pas un allié des assassins, rien de plus et rien de moins qu'un modeste maître-assistant.

Je vois très bien à votre air que vous ne me croyez pas. Peu importe. Il suffit que je sois convaincu de la véracité de ce que j'affirme. De toute façon, il a été impossible d'interroger ce garçon en personne car il a purement et simplement disparu, sans doute happé par l'un de ces centres de détention secrets qu'abrite la zone d'ombre et de vide juridique entre votre pays et le mien. Ainsi que je l'ai dit et répété aux enquêteurs, je ne le connaissais pas particulièrement bien mais je me rappelle son sourire timide, son aptitude peu commune à calculer les marges brutes d'autofinancement, et je n'ai pu qu'être indigné par le mystère ayant entouré son arrestation et sa disparition. Lorsque les chaînes de télévision internationales sont venues à notre faculté, j'ai déclaré devant les caméras, entre autres, qu'aucun pays ne punit de mort aussi facilement les ressortissants d'autres États, ne répand la terreur aussi loin de ses frontières, que le fait l'Amérique. Mes paroles ont été peut-être été plus dures que je ne l'avais voulu, ce jour-là, et avec le recul je me suis demandé si, en plus d'exprimer ma révolte, je n'avais pas cherché ainsi à attirer l'attention sur moi : si Erica avait regardé cette bande d'actualités – ce que je savais presque impossible, rationnellement –, peut-être allait-elle me voir et décider de reprendre contact avec moi ?

Cela n'a pas été le cas, et la sensation de perte est revenue m'assaillir. Mais mon éclat télévisé a reçu un écho auquel je ne m'attendais pas : il est repassé sur plusieurs chaînes pendant des jours et des jours ; encore aujourd'hui, on peut en apercevoir un extrait dans les spots rappelant la pertinence de la « guerre contre le terrorisme ». L'impact a été tel que mes camarades m'ont mis en garde : selon eux, l'Amérique risquait de réagir à ma diatribe, peu diplomatique je l'avoue, en envoyant un émissaire chargé de m'intimider, ou pire encore.

Depuis ce moment, je me suis un peu senti comme un Kurtz attendant son Marlowe. Tout en m'efforçant de continuer une existence normale, en prétendant que rien n'avait changé, j'ai été affligé de soudains accès de paranoïa, avec notamment la sensation, parfois aiguë, d'être surveillé. J'ai tenté de modifier mes habitudes pour déjouer d'éventuelles filatures, par exemple l'heure à laquelle je me rends à mon travail, ou le chemin que j'emprunte, et puis j'en suis venu à conclure que tout cela n'avait pas de sens : je devrai faire face à mon sort quand il se présentera à moi, et d'ici là m'interdire de céder à la panique.

Il me faut surtout éviter ce que vous n'arrêtez pas de faire à cet instant, sir : regarder par-dessus son épaule. J'ai l'impression que vous avez renoncé à écouter mon bavardage, soit parce que vous vous êtes convaincu que j'étais un menteur chronique, soit parce que vous avez d'autres préoccupations, et notamment celle que nous puissions être suivis. Vous feriez mieux de vous détendre, sir. Franchement. D'accord, je conviens que ces hommes sont maintenant plutôt près de nous, et que l'expression de celui-ci... Tiens, quelle coïncidence ! C'est notre serveur de tout à l'heure, et il m'adresse un signe de tête car il m'a reconnu, lui aussi – son expression n'est pas très engageante, je le concède. Mais ils n'ont aucune intention hostile à votre égard, je vous assure. Cela paraît une évidence et pourtant je me sens obligé de le souligner : vous ne devez pas penser que nous autres Pakistanais sommes tous des terroristes en puissance, tout comme nous aurions tort d'imaginer que tous les Américains sont des tueurs en mission secrète.

Ah, nous voici presque aux portes de votre hôtel ! C'est ici que vous et moi allons nous quitter, donc. Peut-être notre serveur désire-t-il prendre congé, lui aussi, car il se rapproche encore de nous à grands pas et... Oui, c'est exact, ce geste qu'il a eu me commandait de vous retenir. J'ai conscience de ce que vous avez trouvé certaines de mes opinions plutôt choquantes, sir, mais j'espère que vous ne résisterez pas à mon souhait de vous serrer la main. Là ! Pourquoi palpez-vous la poche de votre veston, sir ? Cette lueur de métal que mon œil a captée... Compte tenu de la relative intimité qui s'est établie entre nous, je présume que c'est le reflet de votre étui à cartes de visite ?

Le Livre de Poche s'engage pour
l'environnement en réduisant
l'empreinte carbone de ses livres.
Celle de cet exemplaire est de :
200 g éq. CO$_2$
PAPIER À BASE DE   Rendez-vous sur
FIBRES CERTIFIÉES   www.livredepoche-durable.fr

Composition réalisée par Belle Page

Achevé d'imprimer en juin 2014 en France par
CPI BRODARD ET TAUPIN
La Flèche (Sarthe)
N° d'impression : 3006155
Dépôt légal 1re publication : septembre 2014
LIBRAIRIE GÉNÉRALE FRANÇAISE
31, rue de Fleurus – 75278 Paris Cedex 06

50/6670/5